RHAPSODIE CLASSIQUE SUR UNE CLEF DE FA

ISBN 978-1-4717-5564-4

Geoffrey Pauly

RHAPSODIE CLASSIQUE SUR UNE CLEF DE FA

Roman et Poésie

_Je m'ennuie ! Ah, ma mère, j'ai la rate au cerveau...
Je suis jeune buveur, errant de caniveaux.
Napoléon est mort, la France a trépassé ;
Nous n'avons que remords et du temps à passer...
Beaucoup ! Dans les cafés le temps n'est pas venu
Pour que les lustres éclatent sur nos fronts nus.
Nous sommes gens du siècle et nous avons du mal :
Il nous manque la fauve et l'ardeur animale.
Les mots nous sont très noirs avec un peu de brun,
Trop de violet qui flotte parmi les embruns :
Il nous manque tout l'or de Marot, de Voltaire.
Bientôt viendra le gris du siècle de la guerre !
Il nous manque la fauve des grands opéras
Les ballets ténébreux d'étoiles et de rats,
La danse noire.
La danse et les chants de *Carmen*.
Pour remplacer la plainte (celle des hymens),
Ma mère, je voudrais voguer sur les vaisseaux,
Affronter les titans rien qu'armé de faisceaux.
Napoléon est mort, vois l'homme qui s'ennuie,
Ma mère, vois le sabre et les dieux qui s'enfuient...
Je fais l'alexandrin, je me moque du monde,
J'aime les malandrins et les choses immondes :
« Ils sont pas beau mes vers ?! Achetez, achetez !
J'en ai plein mes revers.
_Tout est bon à jeter »
Disent les fiers chenus qui sont des rimardeurs...

Jacquots, aux fourches, hue ! Sus à ces emmerdeurs !
Fi de l'auriculaire en l'air et des haros,
« Car vous trouvez assez de rithme ailleurs » (Marot),
Je fais ce qui me plaît et voici mon héros,
Je voulais le nommer, je crois, Don Gennaro
Mais c'était trop rugueux, lourd pour mon opéra.
Quel nom choisir alors ? Oh ! Au diable, on verra...
Mon héros a parlé, puis moi... Tout est en place !
Entrons dans l'Opéra : c'était une préface.

ÇA ?

What ?...
Shakespeare.

Des essais ? — Allons donc, je n'ai pas essayé !
Étude ? — Fainéant je n'ai jamais pillé.
Volume ? — Trop broché pour être relié...
De la copie ? — Hélas non, ce n'est pas payé !

Un poème ? — Merci, mais j'ai lavé ma lyre.
Un livre ? — ... Un livre, encor, est une chose à lire !...
Des papiers ? — Non, non, Dieu merci, c'est cousu !
Album ? — Ce n'est pas blanc, et c'est trop décousu.

Bouts-rimés ? — Par quel bout ?... Et ce n'est pas joli !
Un ouvrage ? — Ce n'est poli ni repoli.
Chansons ? — Je voudrais bien, ô ma petite Muse !...
Passe-temps ? — Vous croyez, alors, que ça m'amuse ?

— Vers ?... vous avez flué des vers... — Non, c'est heurté.
— Ah, vous avez couru l'Originalité ?...
— Non... c'est une drôlesse assez drôle, — *de rue* —
Qui court encor, sitôt qu'elle se sent courue.

— Du *chic* pur ? — Eh qui me donnera des ficelles !
— Du haut vol ? Du haut mal ? — Pas de râle, ni d'ailes !
— Chose à mettre à la porte ? — ... Ou dans une maison
De tolérance. — Ou bien de correction ? — Mais non !

— Bon, ce n'est pas classique ? — À peine est-ce français !
— Amateur ? — Ai-je l'air d'un monsieur à succès ?
Est-ce vieux ? — Ça n'a pas quarante ans de service...
Est-ce jeune ? — Avec l'âge, on guérit de ce vice.

... *ÇA* c'est naïvement une impudente *pose* ;
C'est, ou ce n'est pas *ça* : rien ou quelque chose...
— Un chef-d'œuvre ? — Il se peut : je n'en ai jamais fait.
— Mais, est-ce du huron, du Gagne, ou du Musset ?

— C'est du... mais j'ai mis là mon humble nom d'auteur,
Et mon enfant n'a pas même un titre menteur.
C'est un coup de raccroc, juste ou faux, par hasard...
L'Art ne me connaît pas. Je ne connais pas l'Art.

Préfecture de police, 20 mai 1873.
Tristan Corbière

Qu'on ne se formalise pas, je citerai beaucoup. On cite toujours beaucoup, les autres ne le disent pas, simplement. L'écriture n'est pas seul acte de création. Pourquoi réécrire ce qui a déjà été fort bien écrit ? Que les auteurs servent à quelque chose pour une fois !

Hommage et acte d'écriture.

PERSONNAGGI

Don Andrea,
La mère,
Chaïm,
Le petit porteur,
L'enfant de bois,
La Berthe,
Robinson,
Don Quixada,
Pluton,
La mie,
Chère Madame,
L'écrivain.

LIBRETTO
(senza musica)

Don Andrea –	Ma mère, je fais mon baluchon !
La Mère –	Oh, diable ! Il fait son baluchon…
Don Andrea –	Ma mère, je fais mon baluchon !
La Mère –	Oh, diable ! Il fait son baluchon…
Don Andrea –	Ma mère je m'en vais, je quitte la maison, Je pars pour une guerre, vers un autre horizon.
La mère –	Ah ! Mon fils, tu es fou, tu vas devant ta mort ! Dites-lui, vous aussi, qu'il aura des remords…
Chœur et public –	Elle a raison, héros : tu vas devant ta mort !
La Mère –	Ah ! Mon fils, tu vois bien, tu vas devant ta mort !
Don Andrea –	Soit ! J'irai ! J'irai ! Sans hésiter.
La Mère –	Oh ! Mon Dieu, l'ai-je Bien mérité ?
Don Andrea –	Oh ! Gens, consolez-la, ma pauvre mère meurt ;

Dites-lui des fadaises, apaisez son humeur.

Chœur et public – Madame, écoutez-nous : votre fils a du cœur !
Madame, écoutez-nous, nous sommes votre chœur.
Il va faire une guerre, mais comme un fanfaron,
Dangereuse elle n'est guère, n'ayez pas de mouron.
Il rouera des moulins, sera parfois rossé,
Montera quelque canasson fort mal brossé.
Il reviendra le moral aussi bas que la queue
Dégouté de l'aventure et le ventre creux.
N'ayez de souci que pour votre propre santé,
Votre brave guerrier va vite déchanter.
Mais si vous trépassez avant qu'il ne revienne
Vous le ferez descendre jusqu'aux abyssiniennes.
Ayez bien soin de vous, ne rongez pas vos sangs,
La patience est vertu, on ne saurait vivre sans.
Maintenant taisez-vous, le chœur a des migraines
Et le public en a marre de vos rengaines.
Qu'il parte l'avorton sans plus troubler sa mère.

Tous -chœur, lecteur, public- nous avons bien mieux à faire
Que de nous coltiner ces fantaisies littéraires.
Passons sur ce passage, passons puisque tout passe,
Languissons-nous plutôt que l'un de vous trépasse…
A vous, comédiens,
A vous !

Don Andrea – Ma mère, j'ai fait mon baluchon.
La Mère – Seigneur ! Il a fait son baluchon.
Don Andrea – Ma mère, j'ai fait mon baluchon.
La Mère – Seigneur ! Il a fait son baluchon…

Il fut convenu que Don Andrea partirait au matin. Phébus, avec lui, fit lever le soleil et le voyage se présenta sous les meilleurs hospices. Don Andrea, se voulant brave guerrier, revêtit des braies à la mode des plus féroces barbares gaulois. Sa chemise ample, encore blanche, voletait gracieusement et semblait un fin voile divin à peine posé sur le corps d'un solide aventurier. Ses bottes lui montaient jusqu'aux genoux.

Ainsi Don Andrea partit à la guerre pour dissiper son ennui. Mais après les innombrables conquêtes du grand Napoléon et la chute de l'Empire, les fusils s'étaient tus et la guerre, qu'une oisiveté trop longue avait faite ventrue, s'était laissée aller aux délices tranquilles d'un petit roupillon.

Quelle guerre notre héros allait-il bien pouvoir faire puisqu'il n'y en avait plus aucune, puisque l'Europe tout entière –Eh ! Si !- s'était apaisée. L'esprit peu belliqueux, l'idée qui l'avait effleuré d'exciter quelque jalousie ou rancœur entre deux souverains pour provoquer lui-même sa propre guerre descendit le long de son oreille et s'échappa à grands bonds par un autre sentier. Oh ! Ce qu'elle fit comme chemin ! Comme il était homme de goût, peu savant mais capable d'apprécier la qualité des plus excellentes de nos œuvres, il se rappela les livres du fameux Don Quichotte de la Manche dont il avait –sans scrupule- oublié l'auteur. Il admira la fertilité imaginative de l'hidalgo et se dit qu'avec quelques efforts, il pourrait bien faire de même et la bâtir de toute pièce, sa guerre. Il saurait bien se montrer aussi fou et fort d'esprit. Après tout, il était Don tout comme le Quichotte : vraiment, l'affaire s'annonçait bien !

Diable ! Allons-y ! Montons-la, cette guerre ! Avec de l'ardeur elle sera sanglante, avec de la volonté nous la remporterons et, revenant victorieux, accueilli en héros, nous jouirons des plaisirs de la retraite et des fruits de la gloire militaire. Haro sur les ennemis ! Et quels qu'ils soient. Haro !

L'aventure est très brune que l'on va écrire. Les œuvres bien qu'en mots sont faites de couleurs et c'est, je crois, en lettres que l'on parvient à peindre les plus beaux tableaux. L'aventure est très brune, un peu de jaune, et noire. Oh ! Noire ! D'un noir de théâtre, d'opéra et de ballet ! Tant de grandeur et de noblesse... Elle n'est pas noire, mais sable ! Tant de noblesse, je la porterai au doigt et au col. L'œuvre est musique et c'est un parchemin : un froissement, une odeur, quelque fumée et du vieilli, de l'ancien, de l'ancestral.

Citons de grands auteurs et auteurs de cette œuvre : Voltaire, Racine, Marot, Cervantès, Mozart, Géricault, Courbet et Caravage, Offenbach bien sûr, Modigliani et Théophile Gaultier ! Ce sera *Le Club des hachichins* de Théophile Gaultier !

Voyez toutes ces couleurs rien que dans ces quelques noms... C'est déjà l'œuvre toute entière. Elle est là, toute faite déjà, toute construite et toute déployée. Croyez bien que je ne l'écrirais pas si je pouvais m'en souvenir entièrement, mais il faut que je m'en débarrasse si je veux pouvoir en bâtir encore une nouvelle. Alors je vous livre celle-ci, avant de vous livrer celle-là qui m'embarrassera à son tour.

Tout est fait, je ne suis plus qu'un copiste et je perds mon temps. Eh bien ! Ne perdez pas le vôtre. Voilà ce qu'est mon livre : une aventure (encore) qui n'a pas d'importance. C'est un tableau, plein des couleurs d'une pièce classique, dans les livres d'Histoire on la classera XVI-XVIIème. C'est un ballet moderne – une danseuse en robe noire prend des figures et des allures carnavalesques effrayantes et disgracieuses derrière une vitre teintée de jaune, sur une musique qui sonne creux et qui suspend tout – c'est un opéra infernal, c'est un opéra de charivari et de bonne chair, un *Don Giovanni* d'Offenbach, Klein Zach happé par le diable. Qu'est-ce encore ? Une aventure farfelue : un Quichotte en plein spleen perdu dans son cerveau, et qui marche, et qui boit, et qui rêve, et qui croit retrouver un réel qui ne l'est pas, qui l'est peut-être, je n'en sais rien –tout est si imaginaire dans un livre.

On me demandera si c'est un roman, oui ; on me demandera si c'est de la poésie, oui ; on me demandera si c'est du théâtre, un peu, parfois ; c'est un essai, bien sûr ; on me demandera si c'est au moins de la littérature, évidemment, mais elle est peinte, chantée par moments, jouée et surtout en mouvement ; on me demandera ce que c'est, de l'art, c'est probable. Je n'écris pas mais j'imagine ; imaginez, ne lisez pas.

Et l'histoire dans tout ça ? Elle est très simple et sans grande importance –vraiment ?- : un jeune homme ennuyé qui part faire une guerre –imaginaire- et brave les dangers comme bon lui semble, il revient, sa mère et sa promise ont péri, il descend aux enfers pour les ramener -comme l'ont fait les plus grands héros- et ne pouvant en sauver qu'une il choisit de les abandonner toutes deux à leur sort. A-t-on déjà fait plus simple ? Vous savez tout maintenant, inutile de lire, voyez plutôt, voyez la couleur !

Partant de bon matin, il se rendit à sa guerre. Il marcha quelques heures, quelques jours et quelques nuits. L'aventure, capricieuse, ne voulait pas venir si bien qu'il attendit longtemps puis se lassa, marchant toujours. Il ne fit que marcher et sa guerre ne vint pas. « Où suis-je, se disait-il ? Hé ! De sûr pas à la guerre. Où est Napoléon ? César ? Le grand Philippe ? Qu'on m'apporte un mousquet, un sabre, une hallebarde ! Athos, à moi ! Portos ! et d'autres grecs... Achille !

Ah ! J'ai la rate, encore... Elle ne me quitte pas. L'ennui me prend au cœur, encore, encore, je meurs, j'étouffe, je me noie ; il me faut de l'affront.

Je voulais faire une guerre, une que j'aurais faite, mais je n'ai pas l'esprit ; ô Don de la Manche, tête savante, érudit des premiers... Je ne suis bon à rien ! J'aimerais être un d'Artagnan : je suis sur mon chemin, que vois-je, des soldats, brigands en fraises noires, assaut ! Je me rue, je suis pressé, je tue, en garde, au flanc, parade, botte à revers et hop ! Trois à terre ! Et moi, seul, debout, victorieux. Allons, Flipote, allons, ceux-là je les délivre, allons jusqu'au village, ils iront dire que je suis leur pourfendeur à dame Dulcinée, je file, à tire d'aile, ma renommée est faite, haro et sabre au clair, ma renommée m'attend...

Je descends au village, je descends à la place, je vais à la fontaine pour me rafraîchir. Quelques calèches roulent, claquent sur le pavé et je vais à l'auberge pour quelque pichet de vin, un bon ragout, un plat de combattant, me remplir de vigueur, allons-y goulument ! Gnathon ne vit-il point que pour soi ?

Manions les viandes et remanions. Faisons bonne chair, buvons tout, jusqu'à la Pantagruelie...

Aubergiste ! Avez-vous du papier ? Un plume ? Je suis à l'aventure et ma pauvre mère se meurt, elle m'attend. Ecrivons-lui que tout va bien, que je ne rentre pas, que la guerre m'attend, la gloire et les honneurs. Merci, aubergiste. Prends ces quelques pierres grises, paye-toi de l'habit et pour ta femme des bijoux !

Je suis pressé, pour trop ; reprenons notre souffle. Apaise-toi, tempête, en ma poitrine mue. A nous deux maintenant, ô tempête enragée ! Je t'étrangle à mains nues, chimère, tiens-toi coite !

Parlons maintenant ; prenons une voix claire, lointaine, calme et grave, l'inflexion des voix chères qui se sont tues.

Ma mère,

Je suis bien parti et ne suis point encore arrivé. Quand arriverai-je ? Je ne sais pas... Où vais-je ? Sait-on où l'on va... Mais je sens que mes lectures de Jacques me remontent dans le poignet. C'est une chance, ma mère, que les aventures de Jacques aient été comptées avant le début de mon aventure... Mon écrivain eut été bien embêté. Je ne vous écrirai pas plus à son propos, je serais censuré.
J'ai marché longtemps et assez droit. Je crois bien que je ne me suis pas ménagé et que j'ai parcouru une bonne distance... Me voilà dans une auberge où je prends le temps de vous écrire cette lettre. Je sais bien que ce n'est pas moi qui écris... Mais ne nous lançons pas sur ce sujet, ce serait s'exposer à de trop longues conversations, et je ne me sens pas de taille à discuter avec les dieux.
Je me porte bien, mère. Oh ! Je sais, je n'ai pas voyagé beaucoup, je ne suis pas allé bien loin... Mais je me porte bien, et je sais que vous en serez rassurée. Je compte bien poursuivre mon voyage et je sais que vous en serez fâchée. J'ai pris le goût de l'aventure et des batailles, je sens que je ferai un excellent soldat. Je viens de me rappeler une aventure de Fabrice Del Dongo qui se retrouve prit dans une rivière, incapable de remonter une bute avec son cheval, qu'il est ridicule... Je crois que c'est parce qu'il vient d'apercevoir Napoléon... Ah ! Ma mère, je serais bien capable de me rendre aussi misérable dans

de pareilles circonstances. Je me sens comme Fabrice, mais je serai plus hardi que lui et la fortune me sourira.
Ma mère, j'ai bien bu. Je crois que je supporte bien le vin, c'est que je suis devenu un homme : n'ayez plus de souci pour moi. Je sens que la guerre m'appelle et je n'ai plus de place sur mon papier ; je vous envoie mille baisers.

PS : Le petit porteur que je vous dépêche saura me retrouver pour me porter vos lettres, voilà l'un des bons avantages à avoir un écrivain, c'est que tout tombe toujours à pic.

16 Octobre 1991.

J'ai commencé mon livre ce soir, je sens qu'il sera vite terminé. Le public ne se doute pas à quel point il est aisé d'écrire un livre. Vraiment, les écrivains sont des imposteurs. J'ai déjà commis quelques anachronismes, c'est normal, je m'en fous tellement. Il faudrait quand même que je fasse attention à l'avenir.
J'ai remarqué que les très vieux écrivains ont tendance à avoir un cheveu sur la langue très prononcé... Je devrais peut-être m'y mettre aussi, on me prendrait plus au sérieux. C'est un peu snob, ça me donnerait un petit air d'écrivain chauve en collerette, mais enfin...
Il faudra que je conseille à mon lecteur d'aller voir la représentation d'Offenbach qui passe en ce moment.

Comme Don Andrea n'avait pas de temps à perdre, il reprit la route après avoir payé l'aubergifte. Il marcha jufqu'au foir et f'il rencontra de nombreufes embûches et de nombreux obftacles, tu me permettras, lecteur, de te paffer ces détails qui, je crois, rallongeraient inutilement ~~notre~~ ma rhapfodie. Ce qu'on ne te dit jamais, c'eft que le héros vit de nombreufes aventures que le narrateur ne te rapporte pas. Ne crois-tu pas que Jacques en a vécu d'innombrables ce fameux matin où il a laiffé dormir son narrateur ? Crois-tu que Cervantès te raconte tout ? Crois-tu que Triftram Shandy te dévoile fans exception toute fa vie et toutes fes opinions ? Imbécile lecteur... Je crains fort que tu ne fois ni mon femblable ni mon frère... Toujours eft-il qu'Andrea marcha jufqu'au foir, ce que j'ai déjà dit, mais tu me fais toujours répéter, lecteur.

Je l'aurais bien fait marcher jufqu'au lendemain, peut-être même jufqu'à l'année suivante –ah ! ce que tu aurais manqué comme évènements, lecteur- mais j'ai là l'idée d'un perfonnage dont je fuis trop fier pour fupporter de ne pas le préfenter. Je pourrais bien faire advenir qu'on le rencontre plus tard me diras-tu... Mais je fuis impatient, et je fais ce que je veux.

La nuit était tombée et Don Andrea penfa qu'il ferait peut-être temps de trouver un abri où passer la nuit. Il n'y avait pas la moindre lumière à l'horizon, que celles des étoiles dans le ciel, tiens, et celle d'un petit lumignon qui pendouillait. Il n'y avait pas le moindre fouffle de vent, mais allez favoir, il ofcillait au bout de fa ficelle. Il y avait là une petite roulotte au pied d'un pommier dont les pommes avaient pris une couleur violette, fans doute à caufe de l'obfcurité. Don Andrea vint frapper à la porte et demander asile pour la nuit.

Et maintenant, voici ce perfonnage dont je fuis fi fier et dont vous me direz des nouvelles, un diable de perfonnage haut en couleurs comme ~~on~~ j'aimerais en voir plus fouvent et qui, à la réflexion, mériterait peut-être de fe voir promu au rang de perfonnage principal. Mais bon... Je m'amufe affez avec ce Don Andrea qui a confcience que j'exifte et qui croit que je ne le fais pas. C'eft un petit homme qui ouvrit la porte. De bas en haut : de larges et grands fabots couvrant certainement de larges et grands pieds, un pantalon déchiré et un peu trop court, gris, les jambes affez fines et plus courtes que le torfe, des épaules plus larges que tout le refte, une groffe tête faite d'une mâchoire carrée et proéminente , la lèvre inférieure eft plus groffe et il en fort deux dents écrafées, le nez eft épaté et rond, les yeux enfoncés, comme des billes, bruns ou verts, le contour de l'un eft très noir, le front monte très haut, dégarni, ridé. Furtout, le bonhomme a le côté gauche puiffant comme un bœuf, il eft boffu, râblé et mufclé de ce côté, tandis que l'autre eft maigrichon, prefque maladif ; l'une des mains eft celle d'un monstre, l'autre celle d'un enfant. Il eft plus bancal que la Créature de Frankenftein. J'avais d'abord penfé l'appeler Heyr, ce qui aurait donné un afpect très flave conforme au cliché de la Créature de Frankenftein telle qu'elle eft repréfentée par le cinéma américain, mais un nom m'eft venu, bien meilleur, bien plus diabolique, bien plus explofif pour l'imaginaire si bien qu'aucun autre n'aurait pu mieux convenir à mon perfonnage. Ainfi ~~nous~~ je l'appellerai Chaïm ; c'eft le nom de Soutine et vous verrez que c'eft le plus beau des hafards qu'un artifte auffi hors de pair ait porté un nom auffi merveilleux.

Je déplore qu'il n'y ait pas plus de perfonnages de littérature qui portent ce nom. Quand je vous dis que les écrivains font mauvais et qu'ils ne font pas bien leur travail ! C'est un nom pour une hiftoire de fée, ça m'obligera peut-être à écrire une fée pour ma rhapfodie... Je fais, lecteur, ça ne fait pas très profeffionnel de fe faire ainfi dicter son livre par un nom, mais tout ce que celui-ci me m'ordonnera je le ferai.

Il faudra d'ailleurs que j'abandonne cette graphie pouffièreufe, c'est de la modernité et de l'éclat qu'il faut à mon perfonnage, à fon nom furtout : voyez, voyez comme je ne choifis pas d'écrire comme je le fais, je fuis fans ceffe rappelé à l'ordre. Honte à moi qui ne fuis qu'un copifte.

16 Octobre 1991, soir.

Note : Mon livre a été traduit en français moderne ; au diable ce S long. J'enverrai tout au diable de ce qui ne sera pas nécessaire. Tout là-haut : au diable. Le mien s'appellera Azraël aux neuf visages, parce qu'il mourra juste après moi.

Chaïm, c'est un nom
De diable. Fou
Rouge et d'un or très blanc ; du brun partout qu'explose qui fugue à droite à gauche ici là qui saute du vert dans l'or et rouge noir c'est un diable.
Mais celui-là c'est le peintre.
Le mien c'est une Créature Quasimoderne.
On le rencontre à la nuit sinon c'est inconnu, ça n'existe pas.
C'est un bonhomme qui s'est peint tout seul et qu'a tout de trop gros gras grossier bien cru d'un coup. Bonhomme !
C'est un insecte au-dedans qui grillonne ; écoutez... Fllrruiiii...
Trouvez vos onomatopées qui sont Chaïm, le vrai. Trop de mots qu'entourent la littérature qui n'est pas ça mais là des bruits et des éclats de couleur qui s'écrasent contre... oubliez.
Un feu follet jaune, une luciole de fée derrière chaque œil noir, complètement noir.
Une bête merveilleuse avec une femme à l'intérieur qui n'a rien d'une femme humaine mais une femme fauve à la crinière fauve à l'âme griffue les yeux griffus des fauves du noir aussi et les nerfs tendus sous le cuir et l'odeur de la faim.
Chaïm.
Chaïm. Ecoutez bon sang !

Chaïm

Chaïm

Le soleil se leva et le matin qui a été beaucoup mis en musique. Ne serait-ce que par Grieg qui est connu de tous. Don Andrea se retourna et ouvrit les yeux tandis qu'on jouait ces quelques notes que j'ai moi-même composées. On –je ne sais pas qui, seulement j'ai décidé qu'on entendrait cette musique à ce moment-là.

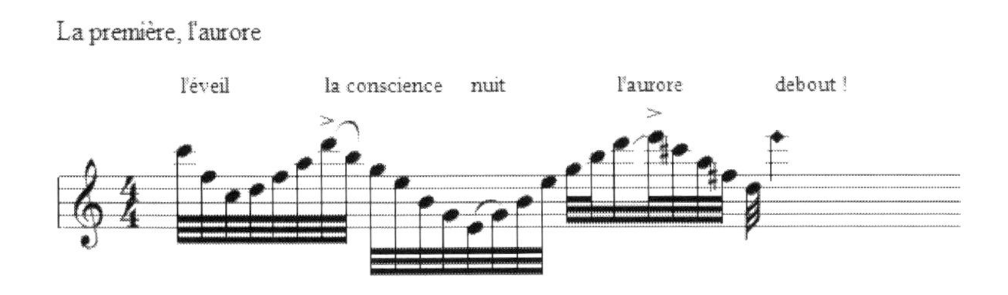

Don Andrea se leva vite – passons sur ces détails – et sortit de la roulotte où on lui avait permis de passer la nuit. Les pommes étaient toujours violettes et il se rendit compte qu'il y avait là autour tout un petit champ de roulottes qui avaient poussé pendant la nuit, un peu comme poussent ces champignons que mon père appelle des têtes de nègres : vous en voyez un qui dépasse et quand vous soulevez un peu d'humus (ils poussent en forêt), vous vous apercevez qu'il y en a un peu partout autour. Ça, des roulottes, il y en avait beaucoup, mais des gens très peu ! A vrai dire, il n'y avait personne… Seul Chaïm, dont ~~notre~~ mon héros ne saura le nom qu'un peu plus tard, était assis sur un petit billot de bois, armé d'un petit couteau pliable avec lequel il taillait une petite figurine féminine de la hauteur d'un pouce. Avec sa grosse main il la tenait à peine entre deux doigts, de peur encore de la casser. Don Andrea détailla le bonhomme et le trouva très étrange, mais comme j'en ai déjà fait une brève description et que je la juge suffisante, je vais passer sur l'avis de mon héros.

Plusieurs jours passèrent avant qu'ils ne se parlent. Ils étaient bien sagement assis l'un en face de l'autre sur deux rondins de bois. Et personne. Toujours personne. Tout un campement de bohémiens, sans bohémiens ! Il y a quelque chose de louche là-dedans. Peut-être sont-ils partis en expédition punitive contre une tribu d'indiens de la plaine qui les a attaqués à leur arrivée... Non, c'est peu probable. Je délire peut-être un peu.

Ce que Don Andrea n'avait pas encore remarqué, c'est que l'herbe était tout orangée, les arbres presque bordeaux et le ciel bleu clair ! Mais ça ne le chagrinait pas... Il n'avait même pas vu ! Je ne passe plus au discours indirect libre parce que ce personnage est décidément trop bête ! Je n'arrive pas à me mettre dans sa tête, ça n'a pas de sens pour moi. J'ai l'habitude de lire Saint-John-Perse, Rimbaud ou Nerval et ça me fige l'esprit... Je deviens trop cartésien à force de lire de la poésie qui fait sens. Don Andrea ne lit pas, lui. Il n'a presque rien lu : un peu de Baudelaire, quelques pages de *La Chartreuse* et de *Le Rouge et le Noir*... Peut-être un peu de *Le Colonel Chabert* ; je ne suis pas sûr, il faudra que je lui demande.

Si je tarde à faire venir le dialogue c'est que, vraiment, ils sont restés longtemps l'un en face de l'autre à ~~se regarder en chiens de faïence~~ ne rien se dire (l'expression était impropre parce que Chaïm ne regardait que sa petite sculpture et ne faisait même pas cas de Don Andrea, il semblait ne s'être pas rendu compte de sa [que le français est imprécis] présence). Si je voulais rendre exactement compte du temps que dura cette scène, il faudrait que j'écrive l'équivalent d'une lecture de trois ou quatre jours… Je ne sais pas ce que je raconterais pour vous faire lire et patienter aussi longtemps. Comme je n'ai pas le talent de Diderot pour faire patienter mon lecteur, nous partirons du principe que nous avons attendu quelques jours et que j'ai repoussé le plus possible l'échéance… Mais venons-en au dialogue ! Je ne tiens plus. Je trépigne. Je suis plus impatient encore qu'un lecteur. Il me tarde toujours de raconter : chaque fois que j'écris un passage, j'ai le suivant en tête et il me tarde d'en finir pour passer à ce prochain qui me paraît bien plus intéressant à écrire, et quand je viens au prochain, il me lasse, et je veux passer au suivant encore… Quelle frustration que l'écriture ! C'est une course où je suis toujours perdant. Mais je ne suis pas très sincère… Je n'écris pas toujours les chapitres dans l'ordre, si bien que j'écris toujours ce que j'ai envie d'écrire au moment où j'ai envie de l'écrire… Mais j'imagine que si j'écrivais dans l'ordre du livre je serais frustré… Quelle frustration que l'écriture !

Mais voilà que je vous fais bien patienter ! C'est que je ne suis pas si mauvais dans cet exercice… Pourtant, il faudra bien que je me presse un peu ; réécrire *Jacques* n'a pas d'intérêt, il a déjà été très bien écrit. Je vais donc passer sans plus tarder à mon dialogue.

Plusieurs jours avaient passé et Don Andrea, d'un naturel peu patient, engagea la conversation. Il insista et s'y reprit à plusieurs fois, Chaïm ne répondant pas. Quand le bonhomme eut terminé sa figurine de bois, il se décida à répondre.

Si j'avais su qu'il ne parlerait pas avant d'avoir fini, je l'aurais fait finir plutôt !

16 Octobre 1991, nuit.

Chère Madame,
J'ai effectivement introduit quelques notes de musique de ma composition dans ce livre. En effet, vous me dites que ça n'a rien à y faire, que c'est de la mauvaise musique et que ça vient mal à propos au milieu d'un texte déjà composite...
Mais chère Madame, me permettrez-vous de vous rappeler que vous ne savez pas lire une partition, que vous ne savez rien à la musique et que, ce que vous critiquez, vous êtes bien incapable de vous le figurer ?
Loin de moi la volonté de vous offenser. Dieu vous garde Madame, s'il n'est pas très mélomane.
Bien à vous.

Yy

_Que voulez-vous ?
_C'est que, Monsieur, il y a maintenant bien cinq jours que nous sommes assis l'un en face de l'autre et que vous ne m'avez pas même décroché un regard… Devons-nous rester ainsi encore longtemps ?
_Vous faites ce que vous voulez, mon bon Monsieur.
_Mais… Si je veux vous parler ?
_Faites.
_Et vous répondrez ?
_Tant que je le pourrai.
_Eh bien, je me nomme Don Andrea.
_
_Je… Je suis un jeune soldat. Je pars pour la guerre.
_
_Votre endroit-là me paraît bien étrange… Je veux dire, quand je suis arrivé l'autre nuit il n'y avait qu'une seule roulotte, le lendemain je me réveille et j'en vois toute une flopée… Je m'assieds quelques minutes et voilà que je me retrouve à prendre racine une semaine durant, pendant que le ciel vire au bleu, l'herbe à l'orange, les arbres au rouge…
_C'est pas ce qu'il dit, l'autre Monsieur, là-bas !
_Parlez bas. L'autre Monsieur, comme vous dites, est mon écrivain et en tant que tel il croit savoir tout ce qui me trotte par l'esprit, mais je le connais, moi, ce diable de rimailleur, et je sais bien lui cacher ce que je pense. Méfiez-vous, s'il s'en rend compte, il aura tôt fait de vous mettre le grappin dessus ! Mais

revenons. Toutes ces roulottes que je vois, personne ne vit dedans ?
_Moi, pardi !
_Mais… Dans toutes ces roulottes ? Qu'avez-vous besoin d'autant de véhicules et d'appartements… Vous êtes tout seul !
_Hé ! Moins que vous ! J'ai tout un petit monde à loger, moi ! Voyez, c'est un cirque, ça : le cirque de Chaïm. J'y suis Loyal, clown blanc ou rouge, acrobate, jongleur, illusionniste, danseur, costumier, peintre, sculpteur, cuisinier et c'est encore moi qui m'occupe des bêtes… Tout ce petit monde, il faut bien que je le mette quelque part !
_Mais si c'est vous qui faites tout… Vous êtes tout seul, donc vous n'avez besoin que d'une roulotte !

_

_Oui, bon, et les carrioles, comment vous faites pour les diriger toutes quand vous vous déplacez ? Vous n'êtes pas dompteur de carriole tout de même ?
_Eh ! J'attelle les chevaux.
_Et où ils sont vos chevaux ?
_Les chevaux, c'est moi.
_Vous voulez dire que vous vous attelez aux roulottes, que vous les tirez et qu'encore vous vous fouettez quand vous n'allez pas droit ou trop mou ?

_

_Je crois que j'ai bien du mal à comprendre votre petit numéro. Me permettrez-vous au moins de rester quelque temps encore afin de me rendre compte de la manière dont tourne votre cirque ? J'en suis assez curieux.
_Comme vous voudrez.
_Mais comment vous appelez-vous ?

_

_Eh bien ! Répondez au moins à celle-ci de question !

_C'est que je ne sais plus.
_Comment, vous ne savez plus ?
_A force de ne l'entendre plus prononcer, mon nom, j'ai fini par l'oublier. On m'appelle par ma fonction ici...
_Mais les fonctions vous les avez toutes... Vous êtes même le bourrin qui tire...

_
_Oui, bon, oubliez ça. Et votre cirque, il tourne bien ?
_Assez, les bonnes gens viennent nous voir et ils donnent ce qu'ils peuvent.
_Et vers quelle ville allez-vous maintenant.

_
_Vous êtes ici depuis longtemps ?

_
_Mais, ces bonnes gens qui viennent vous voir... Ils se déplacent jusqu'ici rien que pour voir votre cirque ? Il doit être sacrément fameux !
_Les gens, c'est moi.
_Mon ami, j'ai la nette impression qu'il y a quelque chose que le bon Dieu vous a pris ou ne vous a pas donné... Mais puisque vous m'offrez l'hospitalité, je vais rester encore un peu. Ensuite, je m'en irai vers ma guerre. N'avez-vous pas vu passer un corps d'armée, par ici ?
_Ah, ça ! Pour sûr, non ! Rien passe jamais par ici. Et des guerres, ça fait bien longtemps que j'en ai pas vues... Du temps du beau Léon, on entendait des canons à droite ou à gauche, assez souvent. Mais ça fait bien longtemps que c'est fini tout ça. Plus un cavalier, pas même un bonhomme à pied...
_Ah ! Tant pis, j'irai suivant mon cœur de soldat, il me mènera bien à quelque bataille.

16 Octobre 1991, nuit.

Chère Madame,
Vous m'écrivez que mon livre vous rappelle étrangement les aventures de ce fameux hidalgo de la Manche... L'histoire, cette quête d'une guerre qui n'existe plus...
Madame, avez-vous vraiment lu le *Quichotte* ? Je ne crois pas. Ne voyez-vous pas que mon histoire est la plus inédite et la plus universelle qu'on ait contée ? Voyez : l'époque postnapoléonienne, qu'on me cite un seul écrivain qui y a déjà placé son action ; un homme qui part à l'aventure et vit d'innombrables évènements imprévus, a-t-on jamais vu pareille fantaisie ? Madame, je crois que vous êtes de si mauvaise foi que même si je vous écrivais une histoire d'amour, vous trouveriez quelque raison pour me répondre « encore une ». Soyez donc assurée que l'histoire de mon livre est des plus originales, que c'est plutôt vous qui n'y connaissez rien.
Bien à vous.

Fy

Enfin vient le soir de la représentation. La nuit était tombée et les roulottes, qui avaient été déplacées, formaient un grand cercle, comme une arène, éclairé de quelques lumignons pendouillant au bout de leur fil. Au centre se trouvait une petite estrade de bois. Les gens arrivaient de toute part : il y en avait des grands, des jeunes, des petits, des vieux, des femmes, des blonds, des moustachus, des enfants, des infirmes, des hommes, des ventrus, des bourgeois, intellectuels, des bruns, des idiots, des alchimistes, des mendiants, des chrétiens et des voleurs. Et tous Chaïm. Il jouait de l'orgue de barbarie, dans un coin, tournant la manivelle très régulièrement, assis sur un tabouret. Personne ne faisait attention à lui. Il souhaitait la bienvenue aux spectateurs, saluait les adultes et distribuait des sucreries aux enfants. Soudain, il s'esquiva dans la foule et apparut immédiatement sous l'apparence d'un Monsieur Loyal portant moustache et chapeau haut-de-forme.

« Approchez, approchez ! Mesdames et Messieurs, ce soir, devant vos yeux ébahis, je vous offre un spectacle éblouissant : DES ACROBATES !

_Ooh !

_DES JONGLEURS !

_Ooooh !

_DES CLOWNS !

_Aaaaaaaah !

_DE LA MAGIE !

_Oooooooooooooh !

_Des tours et des numéros comme vous n'en aurez jamais vus, venus tout droit des pays de l'Orient lointain… Mesdames et Messieurs, je vous offre ce soir… LE CIRQUE DE CHAÏM ! »

Un tonnerre d'applaudissements. Les mains éclatent, les voix, les sifflets. Les adultes rient et les enfants exultent. L'orgue de barbarie s'est arrêté. Noir. La scène s'éclaire. Loyal a disparu. Apparaît Chaïm. Il porte une chemise blanche, assez ample, et un foulard noir autour du cou. Il a pris de la hauteur. Chaïm tient une orange dans sa main et la fait tourner entre ses doigts, elle passe d'une main à l'autre, virevolte, disparaît, apparaît et semble toujours rouler. En faisant ses tours de passe-passe, il parle, prenant une voix calme et mystérieuse.

Chaïm – On me regarde ? Mais oui… Je sais que vous êtes là. Je ne vous vois pas, je le sais. Tout comme cette orange… Vous savez qu'elle est là. Si je la fait disparaître… Noir. Vous ne la voyez plus. Mais vous savez qu'elle est là. Où… Ailleurs. Mais attendez… J'entends qu'il y a d'autres personnes de ce côté-ci… Serais-je cerné ? Hé ! Mais tous ne pourront pas voir… Il faut donc que je fasse apparaître… une seconde orange. Celle-ci disparaît, la voici près de l'autre, qui ne l'aime guère, hop, elle s'en va. Je te suis… Tu me fuis. Bien. Et si je te fuis… Tu me suis. Ah ! Mais non… C'était encore une autre et voilà trois oranges. L'ennui c'est qu'on ne voit pas la différence. Très bien, celle-ci sera… noire. Et celle-ci… Verte. Mais non, c'est impossible ! Ce ne sont que des balles… Avez-vous déjà vu des oranges noires ? Les oranges sont… Où sont-elles passées ? Ah ! Les voilà ! Bien, je ne vais en garder qu'une. Je suis illusionniste, c'est ce que vous croyez… En réalité, je suis bien plus que ça… Ce que je fais, c'est de la vraie magie. La magie se rit de l'impossible. La magie se moque de la mort. Combien d'entre vous ont peur de la

mort ? Même les plus braves tremblent devant la grande dame. Mais n'ayez plus peur ! Oh, je ne saurais éloigner la mort, non, si j'écrase cette orange, je ne peux l'empêcher de se vider de son jus et de se flétrir. Mais si la mort s'éloigne... Je peux sans peine effacer les traces de son passage et rendre à feu mon fruit... sa rondeur charnue !
Le Chœur – Haaaaaaaaaaaan !
Le Chœur – Ooooooooooooh !
Le Chœur – BRAVO !
Chaïm – Mais ne vous réjouissez pas trop vite ! On ne change pas ainsi l'ordre du monde... Seul les plus puissants des mages peuvent détenir de tels secrets. Et pour préserver le secret de la vie, il vaut sans doute mieux que, sur l'instant, je disparaisse !

Il s'est évanoui dans l'air. La foule éclate, les yeux brillent, les visages sont fascinés ! Les enfants ne craignent plus la mort, les adultes cherchent le truc, les savants ont vu qu'il n'y en avait pas.

Le voilà qui revient mais en une troupe d'acrobates. Ils sautent, bondissent, virevoltent. Les uns montent sur les autres et font des pyramides. Voilà un salto, puis un autre, encore un, il vrille celui-là, un double, triple, l'un sur l'autre, si haut ? non, impossible, carpé, roulade, encore... Ce ne sont pas des hommes !

Ils prennent maintenant des figures de théâtre et plient leurs corps dans des contorsions inhumaines et leurs membres tout entiers semblent des grimaces qui se lamentent et qui s'étirent lentement et langoureusement et qui forment des arabesques entortillées et sinueuses et comme des pieds de vignes ou des treilles et des plantes grimpantes élancées et mourantes et gracieuses comme des femmes squelettiques et dansant un ballet macabre et mortes.

Et voilà que parmi la foule apparaît le petit porteur de lettres. Il essaie de se frayer un chemin et il bouscule les gens. Il est bien petit, alors ce n'est pas très difficile. C'est un vrai petit diable, malin et malfaisant, alors il marche sur les pieds des gros bonshommes, puis s'excuse, mais il n'en pense pas un mot, il l'a fait exprès. Remarquez, il s'excuse mais ça ne sert à rien, les gros bonshommes, ils ne le regardent même pas, ils sont trop captivés par le spectacle de la magie, ils n'ont même rien senti. Quand il a fini ses mauvais tours, il cherche Don Andrea et le trouve. Il lui donne une lettre : c'est une réponse de la part de sa mère. Mais vous vous en doutiez.

Le problème, c'est que Don Andrea est très agacé par cette arrivée inattendue. Il admirait le spectacle et ça lui plaisait beaucoup. Déjà, il sent que la lumière est en train de revenir, si on ne se remet pas tout de suite à regarder, elle va revenir tout à fait et le spectacle sera fini, les gens s'en iront, ils paniqueront et ce sera la débandade, ils disparaitront. Il arrache la lettre des mains du petit porteur et la glisse sous sa chemise. Hop ! On ne la voit plus. Il tourne le petit porteur vers le spectacle et recommence à fixer les artistes du cirque sur la petite estrade. Heureusement l'obscurité reprend le dessus. On l'a échappée belle. Tout est redevenu bleu clair et noir et la scène est argentée. Les couleurs de la magie sont revenues.

Le petit porteur est petit ; il a du mal à voir par-dessus les gros bonshommes. Mais il est aussi imaginaire. Bien sûr qu'il est imaginaire le petit porteur ! Enfin ! Un enfant qui parcourt des kilomètres à pied pour livrer des lettres et qui arrive à retrouver aussi facilement le destinataire alors qu'il n'a aucun moyen de savoir où il se trouve ? Mais vous rêvez ! Il est imaginaire, donc, le petit porteur. La lettre ? Hé ! C'est que ce n'est rien, une lettre. C'est si léger, si liquide qu'il suffit d'un peu d'imagination pour la transporter. Un peu plus elle pourrait se livrer toute seule, en volant. Mais je ne suis pas assez bon écrivain pour arriver à ça… J'en connais qui y arrivent. Mais ça ne vous intéresse pas.

Comme il est imaginaire, il peut voir A TRAVERS les gros bonshommes. Oui, parce qu'ils sont imaginaires eux aussi ! C'est très mathématique, j'ai appris que moins par moins, ça fait plus, alors je fais pareil dans mes livres : l'imaginaire devant l'imaginaire dévoile le réel, alors les gros bonshommes ils disparaissent quand le petit porteur regarde au travers… C'est un phénomène encore magique. Ou non… Je ne sais plus. En tout cas, Don Andrea, lui, les gros bonshommes il les voyait toujours opaques… Comme vous ~~et moi~~. C'est que je ne suis pas si mauvais… Enfin, Chaïm n'est pas si mauvais, puisque Don Andrea se laisse prendre à l'illusion. Il ne s'est qu'à peine rendu compte que tout ça ne pouvait pas être vrai. Bien sûr, il le sait, mais il ne se rend pas compte. Chaïm sait jouer l'illusion parce qu'il sait que la moitié du chemin sera faite par le spectateur et que cette moitié, il le fera de son plein gré. C'est facile d'être l'illusionniste, les autres font la moitié de votre travail. Mais il est temps de revenir.

Le petit porteur s'est mis à regarder le spectacle. Il est ébahi. Il attendra le temps qu'il faudra qu'on lui donne une autre lettre à porter. Il ne fera pas de bruit. On ne le verra même pas.

Pendant tout ce temps, les artistes du cirque ont eu le temps d'installer une table assez longue, comme un comptoir, sur la scène. Des clochettes y sont posées et alignées. Oh ! C'est un numéro classique ! Les cloches musicales… Qui n'en a jamais vu ?

C'est Chaïm lui-même qui monte sur l'estrade. Sa main la plus large est du côté des cloches les plus grosses et les plus graves, l'autre main du côté des petites clochettes, dont certaines sont à peine visibles à l'œil nu. On les croirait droit venues de Lilliput. Il en soulève une… Sa note est si aigue qu'on ne l'entend pas. Don Andrea ne l'entend pas ! Le petit porteur, lui, l'entend. Et c'est une mélodie légère, qui tremblotte un peu, c'est assez vieilli. C'est assez vieilli mais ça ~~vous~~ rend nostalgique. Je suis là, je l'entends… Ah, ça ! Je ne suis pas très âgé, je n'ai pas vingt ans… Mais j'ai l'impression d'en avoir presque cent. C'est une musique qui est d'un autre siècle plus ancien, sans doute celui d'aïeuls inconnus, je ne sais même pas s'ils ont existé, mais c'est leur musique. Il n'y a pas un bruit et tout le monde écoute. Je suis assis sur une chaise, mon pantalon tient par un simple cordon, un bout de ficelle, je… j'ai des sabots aux pieds, mon pantalon est trop court, il monte trop haut, j'ai des bretelles, j'ai une chemise sale, j'ai une petite moustache, et frillée d'un côté, tudieu c'gout d'mégot d'dans ma bouche ! C'est-i qu'javions mé m'casquette ? Yo qu'a m'mordions la lippe ! A j'sieus au bal avec la mée. On danse. C'est la musette… Laquelle, je ne sais pas. Je ne suis jamais allé à un bal musette, ça ne se fait plus à mon époque… Mais je sens que j'ai dansé sur cette musique de cloche. La musique, on l'avait oubliée… elle est si légère, on ne la sent même pas. Elle est là. Je me souviens d'un souvenir que je n'ai pas. Je suis assis. Debout. Je danse. Seul. Immobile. Avec une vieille femme qui est encore jeune. Les cloches. Les cloches sont l'âme d'une campagne imaginaire que j'ai vécue, quand j'étais petit, et qui a survécu.

C'est une mélodie très simple. Encore. Du début à la fin, elle était très simple. Ce sont des notes qu'on a entendu des milliers de fois. Plus sûrement. C'est aussi puissant que les cuivres et les premiers violons et les arpèges diminués des virtuoses qui virevoltent. Une dizaine de cloches ! Pour un requiem digne de Mozart… Plus puissant peut-être. Une dizaine de cloches ! Un numéro classique. Rien n'est plus beau que le classique, quand il n'a jamais été fait.

Aïe

Aïe

Aïe

Mais qu'est-ce que c'est que cette bille de clown ? Ah, qu'il est maladroit. Il a
De grosses chaussures
Un gros nez rouge
Une grosse cravate
Une grosse bouche
Un petit chapeau
De gros yeux
Un gros pantalon
Des grosses mains
De grosses fleurs
Un petit chapeau

Il saute partout, n'importe comment. Il est bête. Ah ! Il saute. Non. Il est tombé. Ah ! Ah ! Le pied dans le seau. Il le trimballe. Il marche sur le pied d'un autre. Ah ! Il hurle. Il veut se venger. Il bondit. Le premier s'est baissé. Ah ! Ah ! Il a trébuché et l'autre aussi. Le revanchard se relève. Ah ! Il fonce. L'autre à terre toujours. Il lève le pied avec le seau. Ah ! Ah ! Le second roule dessus. Et Bam !
Le seau est parti. Le second le remplit d'eau. Il va encore essayer de se venger. Il va le lancer. Il va le lancer. Il le lance. L'eau est lancée... Ah ! Ah ! Non. Le fond du seau a cédé. Il a de l'eau plein ses chaussures !

Assez avec les augustes. Où est le blanc ? Pas de clown blanc ? Ah ! Mais si ! Il descend du ciel ! Il les sermonne. Ils ont mis de l'eau partout. Ils vont devoir nettoyer. Ils se liguent. Ils veulent lui mettre un coup de pied aux fesses. Ah ! Ah ! Ils ont glissé dans l'eau ! C'est toujours le blanc qui gagne. Le clown blanc est lunaire. Il remonte dans les airs, jusqu'à son satellite. Il surveillera les spectateurs toute l'année. Ils n'ont pas intérêt à faire de bêtises, sinon, ils seront trempés eux aussi. Ils sont drôles, les clowns, jamais bien méchants mais les grandes personnes les craignent un peu quand même.

Monsieur Loyal est de retour. Il célèbre les artistes et disparaît dans un nuage de fumée grise. C'est un petit tour simpliste mais il a fait son effet. Le spectacle est terminé. Chaïm est toujours à son orgue de barbarie. Il commence à en avoir assez de tourner sans cesse cette manivelle à la même allure. Dire que c'était lui, tout ça. Les spectateurs ont disparu aussi.

Don Andrea commence à se dire qu'il n'y a peut-être pas eu de cirque du tout ; tout ça, c'était faux. Bien sûr. Et le petit porteur ? Faux aussi. Non ! Le petit porteur est toujours là, dans son coin. Il est émerveillé. Il a beaucoup aimé le spectacle. C'est lui qui persuade Don Andrea que le spectacle a bien eu lieu. Le petit porteur, il n'en revient pas que Chaïm ait pu faire tout ça à lui tout seul.

Ca y est, il n'y a plus qu'une roulotte. Dans la nuit les pommes ont l'air d'être violettes. C'était un très bon spectacle.

Rhapsodie Classique sur une clef de Fa

Mon enfant,

Revenez-nous bien vite ; j'écris ce sonnet ;
Vous manquez à Clarisse ; c'est certes benêt ;
A votre mère aussi ; mais c'est votre écrivain ;
Revenez donc, enfin ; qui commande et qui vainc.

J'invente votre amie, elle n'existe pas,
Dans le seul but que vous reveniez sur vos pas.
Vous partez à la guerre et c'est une folie
Juste pour aller contre la mélancolie

Mon fils, je suis souffrante et partirai bientôt ;
Je pourrais mourir seule, revenez plutôt !
Si ce n'est pas pour moi pensez à votre amie...

Oubliez votre guerre et revenez vainqueur
Pensez à votre mère et revenez sur l'heure.
Pardon pour le sonnet, je n'y suis qu'à demi.

16 Octobre 1884, matin.

Chère Madame,
Je conçois bien que l'arrivée impromptue de ce sonnet venant comme une lettre de la part d'une vieille femme destinée à mourir avant la fin de mon histoire vous ait un peu turlupinée. C'est que j'avais envie d'écrire un sonnet... Oui ! Très envie ! Vous espériez sans doute qu'un auteur aussi célèbre et reconnu que moi ne se laisserait pas aller à tant de caprices... C'est que je n'ai plus rien à prouver et que je ne peux me résoudre à écrire contre mon plaisir.
Je vous engage cependant à relire une fois, ou deux, ce sonnet fort bien tourné pour en savourer la complexité et la finesse. Vous ne pensiez pas que je gâcherais impunément un si grand ouvrage ? Non ! Ce sonnet me semble d'assez bonne constitution, point trop –il est celui d'une vieille mourante- et très fidèle aux personnages et à l'ordre naturel de mon histoire.
Cent fois sur le bureau remettez mon ouvrage,
Relisez-le vingt fois, encore relisez.
Bien à vous.

Yy

16 Octobre 1991, nuit.

Entrée 1 : Cette Madame *** passe son temps à relever des détails insignifiants de mon texte. Pour une fois, elle n'avait peut-être pas tort. Enfin, ma réponse aura fait son petit effet et ses soupçons devraient être dissipés.
Voilà une affaire rondement menée.

Il advint qu'un soir de juin, alors que Don Andrea ne trouvait pas le sommeil, ce dernier sortit de la roulotte qu'on lui avait louée pour aller prendre le frais. Il comptait marcher un peu, se désaltérer à la fontaine d'une gorgée d'eau pas trop liquide et écrire un peu de poésie. C'est une affaire entendue qu'on écrit les plus beaux poèmes lorsque, la nuit –quand elle est noire et bleue surtout- on est pris d'insomnie et d'illumination.

Il ne fit rien de tout cela. A peine était-il sorti qu'il vit Chaïm, frôlant de chaque main la main d'une femme, dansant. Il se cacha derrière l'arbre autour duquel tout gravite. Puis, ayant contemplé pendant quelques heures, comme il n'entendait pas de musique, ravi par la grâce et le sommeil, il retourna vers sa paillasse.

ils sont tous deux et non obscurs dans une nuit tout aussi solitaire ; c'est la lune argentée, celle d'Euryale et de Nisus, celle qui éclaire la scène les soirs de spectacle quand il faut que l'estrade grise, brille, et bleue, scintille de ces feux –ceux de Yourcenar ; ils sont deux qui dansent l'une l'autre petit grande élancée tordu de toute part inhumain merveilleuse de grâce gauche maladroit elle a les cheveux bruns et beaux qui volent dans ses petits yeux de billes noirs ; c'est la gymnopédie qui passe autour sans qu'ils soient des hommes ou nus bien qu'ils le soient un peu –c'est une danse- et c'est un couple mal assorti qui ne ressemble à rien d'autre, un Pierrot quasimode tout contre une fée.
ses bras sont blancs d'albâtre comme des laits enneigés
~~paisible Palès~~

et les jambes de bronze
des pluies terrestres
brunes

un orient froid
elles font de petits pas et la main dans l'autre qui fait du marbre
mat en velours avec les cheveux de boue noire de tourbe
les créatures volantes invisibles comme des fléaux admiratifs des
petites divinités en noir et blanc un peu comme des petites filles
qui pincent la peau du visage sont autour et regardent et
viennent protéger au-dehors pour empêcher de passer
la pluie
la pluie noire qui scintille en gouttes noires qui scintillent d'une
eau noire qui scintille et pleine de lambeaux et de flammèches
de glace en argent
lunaire mais en plus étincelant une étoile grise ou blanche prise
dans les halos
c'est une partition de cristal gris un peu autour encore et des
notes simples et des silences nombreux qui sonnent et qui
résonnent avec leurs vibrations sourdes qui font mal aux os et
aux membres ~~quand c'est l'hiver~~
~~quelle importance de l'hiver~~
~~mais la couleur~~
le son qu'on a dessiné avec une mine de carbone
sur un papier en flocons avec des ongles
voyez qu'il neige un peu ; avec du vent qu'on ne sent pas ; mais
les gouttes tombent un peu de travers, dans le même sens, ça
ne volette pas.

ils sont deux dans une vieille maison en pierre, elle est trouble,
comme la lumière qui vient un peu ; c'est une vieille lumière, ses
yeux sont fatigués qui voient mal et qui sont assis sans trop
bouger et qui se gonflent à peine quand ils respirent.

les fées
les hommes
les créatures

elles ne sont pas d’ici et viennent d’un ailleurs plus simple et plus à soi
le mouvement
est lent
presque comme du figé : du mobile éternel et endormi
lent
lent
lent ;
laissons-les et leurs mouvements
avant qu’ils s’endorment
et qu’elle disparaisse
et qu’il s’endorme
lent
lent ;
dormons.

UN TEMPS, TRES LONG.

_Mais qu'est-ce qu'il fiche encore ? Il le quitte jamais son tronc d'arbre... Toujours assis là-dessus. A croire qu'il passe ses journées assis à bricoler des niaiseries. La dernière fois avec ses statuettes. Mais qu'est-ce qu'il trafique encore ? Il gonfle des ballons ! On aura tout vu. Mais... Il les laisse s'envoler en plus ! On devrait l'enfermer ! Pollution céleste... Le ciel est à tout le monde, on y laisse pas traîner ses ballons ! C'est qu'il est quand même fort cet oiseau-là : il arrive à les faire s'envoler en les gonflant à la bouche. Il doit avoir les poumons pleins d'hélium. Non, il s'envolerait le pauvre vieux ! Ah ! Mais je comprends mieux ! C'est des bonshommes qu'il gonfle... C'est hygiénique encore ça ! Et ils se laissent faire ces pauvres bougres... S'envoler comme ça, pour le plaisir... C'est un peu court. Où diable va-t-il chercher tout ça... Est-ce que je me mets à déraciner les arbres, moi, pour les replanter à l'envers, la cime la première ? Non ! Ça serait du pareil au même... Il me fatigue cet énergumène, à jamais rien dire, à tout bricoler, à faire n'importe quoi... On y perd la tête ! Regardez-moi ça ! Dans le ciel, des tas de bonshommes qui volent... Encore mieux ! Ils éclatent... Il était monté trop haut celui-là.
un ciel plein de bonshommes ventrus gonflés à l'air
ils gravitent
quand un éclate un autre part parce qu'il faut toujours qu'il y en ait quelques-uns en l'air
dans le plein jour ce sont des planètes

l’un avec des anneaux les pieds dans les nuages
            la tête   où
s   p   h   é   r   e

Chaïm ne sait pas écrire, il marque ce qu'il entend, sans orthographe correcte. Il sait comment se prononce la lettre *s*, et le *t*, quels sons produisent les voyelles, à peu près.

Il sait à peine lire. Il décompose. Ci-r-que de C-Ch-Cha-ïm.

Avec beaucoup d'efforts et de peine il y arrive.

Il ne faut pas se moquer. Il ne sait pas moins de français que beaucoup de lecteurs.

Rien ne me fait plus souffrir avec. L'analphabétisme qui coûte, qui est une souffrance, il n'y a pas d'hypocoristique plus puissant.

Il faut des heures à Chaïm pour lire une lettre. Il lui faut des jours pour en écrire une. Heureusement, il n'a personne à qui en écrire, ou presque.

Quand j'aurai fini ce livre j'irai dans son cirque et je lui apprendrai à lire. Il m'apprendra à sculpter de petits bonshommes de bois comme il fait si bien.

J'aime les gens qui peinent à l'écriture.

Il est temps de faire repartir Don Andrea. Je ne sais s'il sera trop d'accord mais je ne lui demanderai pas son avis. Il est plus que temps. Ce n'est pas que je me lasse du cirque ou de son personnage, ce n'est pas que je me soucie des aventures de Don Andrea ou du plaisir d'un éventuel lecteur. Je crois que Chaïm se lasse. Je ne veux pas qu'on le dérange outre mesure. Chaïm est un homme qui comprend l'art et qui le fait, on ne peut pas gêner indéfiniment ces gens-là qui sont inutiles mais qui ont quelque chose à faire d'important. Un quelque chose, le plus important.

Il y en a encore qui croient que le personnage est une invention, que c'est une poupée de chiffon qu'on manipule à droite, à gauche, un peu comme on veut, qu'on gratouille, qu'on asticote, on lui tire les poils du nez... Ce n'est pas ça ! Il y a des personnages sublimes, qui ne sont pas longtemps des personnages et qui prennent le large, parce qu'ils sont plus fort que leur auteur. Je ne peux pas déranger Chaïm. Je ne veux pas le voir mourir, Dumas a bien pleuré quand il a fait mourir son gros Portos... Ou était-ce mensonge ? Je préfère qu'on s'en aille, qu'on voie autre chose... Je me complairai dans cette pensée que Chaïm ne mourra jamais.

Un bref résumé de ce qui va suivre (je le dois bien au lecteur, je ne voudrais pas l'ennuyer et lui faire perdre un temps sans doute précieux) : il est temps pour Don Andrea de se créer sa ~~petite~~ grande guerre –il en est capable maintenant qu'il a pris contact avec l'imaginaire- et de s'enivrer de sa propre tête. Ensuite, eh bien, il s'en retournera.

J'ai depuis longtemps envie d'écrire une bataille ou une guerre... D'autres avant moi se sont livré à cet exercice, avec peu de succès, sauf un, peut-être... Quel plaisir ce sera ! Je suis déjà grisé.
Quel prix... On s'attache facilement à ces gens qu'on a créés dans un petit coin de son cerveau. Mais je n'aime pas les mélodrames. Allons ! Un peu de fierté ! Le menton haut ! Allons, Flipote, Allons ! Droit vers la fin d'un autre livre.

Adieu, *Chaïm*

17 Octobre 1991, matin.

Chère Madame,
J'ai composé tout à l'heure un très joli petit poème que j'enverrai bientôt à Mademoiselle de ***. Je vous l'envoie, vous me donnerez votre avis, je sais qu'il sera sincère. C'est aussi l'occasion de le donner à lire à quelque lecteur car je me garderai bien de le recopier dans un recueil. Oh ! Je sais qu'il est très simple et d'une banalité affligeante, mais tout de même, je l'ai composé avec beaucoup de cœur. J'ose espérer qu'il fera son petit effet. Le voici :

encore : un leitmotiv
en corps et désuni.
sonnet de staccato
sonne l'instant d'un il
qu'elle vite oubliera.
quel encor que l'oubli
de vers qui valent… rien
devers un corps tu : je

Lisez-le bien droit et soyez indulgente, je vous en prie. Je vous enverrai très bientôt, chère Madame, un autre poème que je compose à votre intention cette fois… Mais nous verrons cela plus tard.

~~*Fabrice était tout joyeux. « Enfin je vais me battre réellement, se disait-il, tuer un ennemi ! Ce matin ils nous envoyaient des boulets, et moi je ne faisais rien que m'exposer à être tué ; métier de dupe. » Il regardait de tous côtés avec une extrême curiosité. Au bout d'un moment, il entendit partir sept à huit coups de fusil tout près de lui. Mais, ne recevant point l'ordre de tirer, il se tenait tranquille derrière son arbre. Il était presque nuit ; il lui semblait être à l'espère, à la chasse à l'ours, dans la montagne de la Tramezzina, au-dessus de Grianta. Il lui vint une idée de chasseur ; il prit une cartouche dans sa giberne et en détacha la balle : « ah si je le vois, dit-il, il ne faut pas que je le manque », et il fit couler cette seconde balle dans le canon de son fusil. Il entendit tirer deux coups de feu tout à côté de son arbre ; en même temps il vit un cavalier vêtu de bleu qui passait au galop devant lui, se dirigeant de sa droite à sa gauche. « Il n'est pas à trois pas, se dit-il, mais à cette distance je suis sûr de mon coup », il suivit bien le cavalier du bout de son fusil et enfin pressa la détente ; le cavalier tomba avec son cheval. Notre héros se croyait à la chasse : il courut tout joyeux sur la pièce qu'il venait d'abattre. Il touchait déjà l'homme qui lui semblait mourant, lorsque, avec une rapidité incroyable deux cavaliers prussiens arrivèrent sur lui pour le sabrer. Fabrice se sauva à toutes jambes vers le bois ; pour mieux courir il jeta son fusil. Les cavaliers prussiens n'étaient plus qu'à trois pas de lui lorsqu'il atteignit une nouvelle plantation de petits chênes gros comme le bras et bien droits qui bordaient le bois. Ces petits chênes arrêtèrent un instant les cavaliers, mais ils passèrent et se*~~

~~*remirent à poursuivre Fabrice dans une clairière. De nouveau ils étaient près de l'atteindre, lorsqu'il se glissa entre sept à huit gros arbres. A ce moment, il eut presque la figure brûlée par la flamme de cinq ou six coups de fusil qui partirent en avant de lui.*~~

Stendhal, *La Chartreuse de Parme*.

Le jour est vert. La roulotte est loin derrière. L'orée d'une forêt. Don Andrea hésite à y entrer et cherche un sentier. Les arbres forment une masse d'un vert plus foncé que celui de la plaine. Là-bas ! Au coin de l'arbre, il pourrait y avoir des soldats. Don Andrea avait lu quelquefois des histoires de guerre, il y avait toujours, à un moment ou un autre, des soldats qui se préparaient à entrer ou à sortir d'une forêt. Il pourrait très bien y en avoir par ici... Puisque c'est une forêt. Ils seraient de taille moyenne, tous de la même taille et porteraient des culottes blanches, une tunique bleue, une haute casquette. Ils seraient armés de mousquets. Des paillettes d'or sur les épaulettes. Des bottes noires brillantes, les semelles couvertes de terre (c'est la guerre).

Ils l'ont vu ! Don Andrea tressaille... Que va-t-il faire ? Il n'est même pas armé ! Mais... Mais si ! Un sabre pend à sa ceinture. C'est l'instant ! Sabre au clair ! La pose est digne d'une statue de bronze : le sabre haut, un éclat de soleil sur le tranchant et sans morfil, la mort déjà. Hé ! Devant tant majesté et de bravoure, ils fuient ! A toutes jambes dans la forêt.

C'est l'instant ! La guerre est là et des ennemis. C'est l'instant pour Don Andrea de briller à la guerre, de défaire à lui seul tout un bataillon, une armée entière, au sabre ! Haro. Il fonce à travers les arbres. Il est entré dans la forêt sans s'en apercevoir. La végétation est épaisse, il y a des fougères, des lierres qui grimpent aux chênes et de la vigne. La vigne est vierge ; il a manqué de trébucher sur un cep et de perdre les fuyards. Il y a des palétuviers, les feuilles passent du vert clair au foncé, presque noir, sans le moindre dégradé. Les couleurs sont brutes. C'est une forêt de pointilliste. Il y a des palétuviers, des lianes, des bananiers, de ces grands arbres sinueux qui ont des propriétés médicales que les indiens connaissaient. Par terre, les pamplemousses jaunes vous prennent en traîtres, on regarde loin pour éviter les branches à hauteur d'homme et les pamplemousses, eux, tapis, couchés, surgissent et vous mettent à terre, se ruent et vous dévorent. Il faut être vigilant. Don Andrea écarte les larges feuilles de ses bras tout en courant le plus vite qu'il peut. Des bouts de tunique devant, qui disparaissent quelques instants et reparaissent, une botte, le blanc d'une culotte sans doute. L'un a trébuché. Il est à terre, le visage vers le ciel. Mais le temps presse. Don Andrea le transperce en plein ventre. Un bruit de gorge. Sorte de râle. Comme une porte qui grince. Il faudra l'huiler. Il reprend sa course. Il ne voit plus les autres mais il les entend encore. Direction à l'aveuglette. A l'oreille. Un peu plus loin c'est l'orée, oui, mais l'autre ! Ils seront à découvert. Plus vite. On touche. La prairie.

Une immense prairie d'un vert nouveau encore s'étend très loin. Elle est claire et couverte de fleurs des champs, toutes très simples : des marguerites, des boutons-d'or et des primevères. Il y a aussi de ces petites cloches d'ortie qui sont un peu sucrées. Quelques pommes de pin qui sont presque violettes, avec leurs graines ; c'est assez joli.

Et devant ! Les soldats. Oui, mais ils ont rejoint leurs rangs. Une ligne infinie s'étend à perte de vue, plus qu'une armée, une nation sans doute et tous les citoyens en rang d'oignons, plantés là, sans bouger et qui attendent de donner l'assaut. Un frisson parcourt les reins de Don Andrea. Toute une armée pour un seul homme. C'est l'instant où les plus grands héros ont su faire la différence. Il faut que le courage le dépoitraille et monte au front, qu'il jaillisse comme une bête féroce venue du plus profond des enfers, dévorant tout, faisant un carnage et ne laissant de victime qu'un conteur capable de perpétuer la légende.

Don Andrea est seul, oui, mais... Non ! Il n'est pas seul. Derrière lui, il y a toute une armée, une ligne aussi longue que l'autre d'oignons en tuniques rouges, armés de mousquets, prêts à faire feu, des tambours, des arquebusiers, des piquiers, des commandants, des généraux, des infirmières, des cantinières, des déserteurs, ils sont tous là. Et devant, Don Andrea. Monté sur son cheval blanc, le sabre toujours haut, il est prêt. Il fait cabrer son cheval ; c'est l'instant.

Suspendons.

Deux lignes immobiles vont entrer en collision. Juste avant, le soleil brille. Les tambours n'ont encore pipé mot. Il y a même un oiseau qui s'est posé sur une branche et qui attend, il est venu assister au spectacle. Les oiseaux aiment beaucoup les guerres, ils sont toujours au courant et viennent regarder. C'est un spectacle qu'ils ne manquent jamais. Ca les amuse beaucoup. Les écureuils sont présents aussi, mais moins nombreux, ils aiment moins les jeux du cirque et les lanista, les écureuils. Les oiseaux sont très belliqueux.

Reprenons.

D'abord les tambours, secs, droits, inflexibles, le rythme de la guerre, impitoyable et qui ne plie jamais, c'est presque un glas, ils jouent déjà la musique du cortège funèbre, les tambours, c'est le bruit des balles avant l'heure, ils mitraillent, et c'est le bruit des pas, sur le bois plein et le béton. Mais ce n'était qu'un peu de bruit. Le mouvement. Un bras qui se lève, il descend et tout le monde au pas lent. Le doigt de Dieu ! Le doigt qui met la machine en route, qui fait se mouvoir les titans. Après le mouvement, la force. Les pas sont très lourds, ils s'enfoncent dans la terre grasse, ils ont traversé l'herbe. Ils écrasent les pommes de pin qui craquent et qui s'émiettent. Un mètre. Deux mètres. Trois. Première ligne, à genoux. Mousquets en joug. Le premier feu. TONNERRE ! ~~A flash of lightning~~ Un éclair s'est laissé deviner. D'abord la fumée se répand autour des lignes de soldats et les ensevelit jusqu'à la taille. Ils flottent comme des magiciens. Le sol a disparu. Armée céleste ou infernale qui plane sur une fumée grise, au-dessus des nuages. Ce n'était pas si terrible... Much ado about nothing. Les dieux ne sont plus aussi véloces que par le passé. Finalement, les deux premières lignes s'effondrent lentement. Le deuxième genou à terre, un bras, l'épaule, la tête qui s'enfonce. Ça prend certainement plusieurs minutes. Le feu s'est répandu petit à petit dans le corps, rongeant tout de l'intérieur. Les corps sont intacts parmi les colchiques. C'est si simple. C'est beau, la vie.

On croirait qu'il n'y a pas de bruit. C'est pourtant une scène d'opéra : ça monte lentement, jusqu'au tonnerre, et ça retombe, ça finit dans la mort. C'est une scène d'opéra.

Rhapsodie Classique sur une clef de Fa

17 Octobre 1991, aube.

Je nous ai composé un petit arrangement sur un extrait d'Offenbach qui ne manque pas d'humour. C'est un peu facile et ça ne mène pas très loin. C'est toujours une reprise, l'occasion de faire vivre un peu les œuvres des autres.
Je me laisse aller aux enfantillages... Tant de simplicité que c'en devient simpliste. Je ne peux pas toujours faire compliqué, on me le reproche déjà bien assez ! Il faut bien que je m'amuse un peu aussi... Ecrire est un travail fatigant, il faut beaucoup réfléchir, on y passe beaucoup de temps. A trop réfléchir je deviens pessimiste. Je goûte volontiers les tropes de la langue mais ça n'est guère plus joyeux, ça se savoure, et ça nourrit encore le spleen.
On méprise trop le spectacle grossier et l'opéra-bouffe. Ne soyons pas trop doctes et n'ayons pas trop peur.
Des bouffonneries sur l'opéra-bouffe, rien moins que ça. Au diable l'académisme à rameaux, au diable l'intellectualisme, il est temps de mettre des glaçons dans le whisky... cul sec !

_Ci-devant
Les grands con- Les grands con- Les grands con-
Quérants !

C'est le latin Ti-ti-bè-bère,
Ti-ti-bè-bère,
Ti-ti-bè-bère
Mordant, mordu comme Cerbère.
Je le dis tout bas…
Brillant, droit comme un réverbère,
C'est le latin Ti-ti-bè-bère,
Ti-ti-bè-bère,
Ti-ti-bè-bère.
_Je suis le grand Ti-ti-bè-bère,
Ti-ti-bè-bère,
Ti-ti-bè-bère.

_Pour le roi so-
Pour le roi so-
Le roi soleil
C'est un peu tôt qu'on le réveille.
En vérité je vous le dit…
Il a forcé sur la bouteille
Lui le roi so-
Lui le roi so-
Le roi soleil.
_ Moi le roi so-

Moi le roi so-
Le roi soleil.

_Le roi bicornu qui s'avance,
-nu qui s'avance,
-nu qui s'avance
C'est Na-po-poléon
Et ce nom seul le dispense d'en dire plus long.
Le roi bicornu qui s'avance,
-nu qui s'avance,
-nu qui s'avance
C'est Na-po-poléon.

DIALOGUE DES ROIS

_Ave ! Je suis Tiberius Caesar Divus Filius Augustus ! En tant qu'empereur de cette grande armée que vous voyez sur la colline, je viens recevoir les respects des autres généraux et décider du déroulement de la bataille. Ah ! Je me doute bien que cela vous convient ! Hé ! Avez-vous vraiment le choix. Oderint dum probent. Mes soldats porteront la casaque grise. Quelles seront vos couleurs ? Mes soldats ne sont point armés de mousquets et d'armes capables de déchaîner les feux de l'Hadès, nous combattront à l'épée et au bouclier, comme nous l'avons toujours fait. Tremblez devant la puissante armée romaine, devant les hommes de la civilisation, élevés dans l'ordre, la discipline et l'amour de leur cité.
Je suis Tiberius Caesar Augustus ! J'entends qu'on m'écoute et qu'on m'entende et j'entends bien ne rien écouter. Nous attaquerons sur le coup de midi, après que les soldats se seront un peu restauré, très peu. Alors nous donnerons l'assaut. Il est bien certain que toute résistance de votre part serait vaine et très mal considérée. Aussi serez-vous pénalisés en cas de contre-attaque. L'empire romain attaquera le premier, nos soldats perceront vos lignes et notre cavalerie achèvera les survivants. Les archers resteront sur la colline afin que la bataille soit la plus vraisemblable possible : ils seront postés de manière préventive au cas où vous décideriez d'attaquer les premiers, ce qui n'adviendra pas.

Je suis Tiberius Caesar ! Quand nous aurons remporté la bataille, il ne restera plus que vous et vos états-majors. Vous viendrez alors vous prosterner devant mon Auguste personne et m'apporter les meilleurs des plats de vos régions que je dégusterai pour le dîner. La bataille aura duré l'après-midi entier et j'aurai grand faim.
Bien, ces termes me semblent parfaitement acceptables pour chacun des partis. Vous êtes d'accord ? Je m'en retourne à ma colline d'où j'admirerai ce beau spectacle. J'attends de vous la plus minutieuse discipline. Nous nous reverrons à dîner. Messieurs, ave !
J'étais Tiberius.

_Bien le bonjour gents damoiseaux ! Sa Majesté Le Roi Louis Soleil Le Grand Quatorzième Du Nom ! Roi Du Royal Royaume De France De Navarre Et De Germanie Bretonne, Prince De Numidie D'Afrique Et d'Orient Intérieur Mineur Ou Oriental, Empereur, Pape, Ministre, Shah, Khan, Consul... Mais Soyons Simple Et Concis : Sa Majesté Le Roi Louis Soleil Le Grand Quatorzième Du Nom ! Qui êtes-vous donc, ô gracieux valets ?
Ma Puissante Armée Ci-Derrière Vêtue De Casaques Bleues Brodées D'Or et Serties De Diamants Ne Porte Pas D'Armes Autres Que De Fines Epées Qui Sont La Marque De L'Elégance Et De L'Allure Princière, Aussi Ordonnerai-Je Que vos hommes s'empalent eux-mêmes sur Nos Lames Afin Que Les Bras Légers De Mes Hommes Ne Soient Pas Trop Contractés. Ah ! J'Aime Trop La Guerre ! vous avez là d'affreux barbares qui consentiront bien à s'occire et à rendre Au Seigneur la vie Qu'Il leur a accordée par trop de clémence. J'Entends Que Nous Commencions Ce Charmant Ballet Au Soir Venant Afin Qu'Il Constitue Un Agréable Spectacle Et Une Distraction Nocturne Pour Mes Royaux Yeux De Roi. Ventre-Saint-Gris, vous n'aurez

qu'à ramener vos guêtres à Ce Joli Spectacle, Je vous Ferai Installer Quelque Paillasse Usagée Des Rats Royaux Où vous serez très bien.
Bien, En Guise De Tribut, vous n'aurez qu'à nous proposer quelques de vos ballades et danses traditionnelles... On Me Dit Que les divertissements barbares, bien que bestiaux, ne sont pas déplaisants. Nous Verrons cela.
A Ce Soir Donc.
Sa Majesté Le Roi Louis Soleil Le Grand Quatorzième Du Nom !

_Salutation. Moi, c'est Napoléon Un. J'ai toute mon armée là-bas au bord de la forêt... Les casaques rouges, là-bas ! Récapitulatif : nos cavaliers, ici, ici et là, les canons là et là prêt à frapper ici, ici, ici, et ici. Les fantassins sont organisés comme ça. Terrain gras. Ils hésiteront à envoyer la cavalerie. Leurs troupes progressent ainsi. A ce point, la cavalerie fonce dans le tas, aller et retour, ici. A ce point, ici. Leur cavalerie contrattaquera, déjà trop tard. Flanc de colline ici : les piquiers. Progression tout droit. On perce. Encerclés. Déroute de l'artillerie. Clous aux canons. Assez gros, les clous. Emballé, c'est pesé. Tac ! Tac ! Ici, ici, là. Prise de cette colline. Ici, déplacement. Là. Hop ! Là. Tac. Hop. Zip. Bim et Tac !
Tout commence au petit matin. Sur le pied de grue de guerre à six heures, avant le soleil.
Napoléon Un.
Salutation.

Ça fait quand même beaucoup de morts. Un peu partout. On ne voit même plus l'herbe et la terre à force.
Tous ces soldats qui tombent, le sang, la mort, les blessures, les cris, l'horreur, c'est excitant, ça vous excite un sourire de diable avec la langue et les yeux qui scintillent avec des flammes.
Exultation. Maître de la mort et de l'enfer.

Fumée grise ou noire qu'enveloppe tout. On est dans un ciel d'orage avec les grues d'Isidore et l'éclair blanc silencieux et le tonnerre qui gronde en sourdine. Noir. Gris. Blanc. Un peu violet ou bleu foncé. Très foncé. Un peu.
Tapis de bonshommes. On s'essuie les pieds avant d'entrer.
Dansez la carmagnole, vive le son
vive leçon
poisson
à l'hameçon
aucun qui s'en sort sort sort.
Dansez la carmagnole, vive le son.
Bouquin, imaginaire, tranquille. Pas de souci à se faire.
Duraille d'écrire qu'avec des mots pour faire des images. Moi j'vois rien. Des mots. Pas d'images. La lecture c'est pas la vie. c'est pas la vie. c'est pas la vie.
adieu la vie qu'est morte au-dehors. là c'est des petits bonshommes maigrichons qui miment la mort tous gris. pas de
douleur
que du doux
Tout le monde au pas de course.

Dansez la carmagnole, vive le son.
Les p'tits soldats de plomb qui sont tout gris et qu'on crève quand on est un enfant parce que ça fait de mal à personne et qu'il faut bien s'amuser quand on a rien à faire qu'imaginer un peu comment c'est quand y a des belles couleurs et qu'on est une grue dans l'orage. rage. rage.
Dansez la carmagnole, vive le son.
Chanson. chanson. chanson.
Un pas à gauche, deux pas à droite, un pas sur la tunique grise, un pas sur la tunique verte, un pas sur la tête blonde
un sur la brune
y danserez-vous grand-mère ? c'est la maclotte qui sautille
maclotte. maclotte. maclotte.
poupenot-te rigolo-te
Dansez la carmagnole
la campanule
les campagnoles
Fumée grise ou noire qu'enveloppe tout. On est dans un ciel d'orage avec les grues d'Isidore et l'éclair blanc silencieux et le tonnerre qui gronde en sourdine et une petite musique, petite, petite, toute légère. maclotte. maclotte. maclotte.
rhapsodie hongroise
Guerre gentille
en plein les champs. la guerre ager. ager. ager.

Rhapsodie Hongroise
Franz Liszt

DONNERNDER

applaus

15 Février 2012, soir.

On a trop de mots. Trop de couleurs. Et je n'y arrive pas. J'ai l'impression d'essayer tout ce qu'on peut essayer. Ce n'est pas assez. Ecrire est fatigant. Il faut réaliser parfaitement avec un outil faiblard, mal approprié, qui n'a rien à voir avec la matière originale. Je perds du temps. Il faudrait écrire quand on s'endort. Il faudrait que quelqu'un écrive en permanence ce qu'on dicte. Parler même est une perte de temps. Le cerveau va plus vite que tout. Réaliser est une perte de temps. Si encore je le faisais pour quelqu'un. Je ne le fais qu'à peine pour moi. L'écriture a l'air si inutile. Personne n'a l'air de comprendre. Il y en a qui aiment bien. Qui ne comprennent pas plus. Moins peut-être.
J'ai l'impression que tout ça ne servira à rien. Il y en a qui sont célébrés. Je les trouve parfois mauvais comme des cochons. Je suis bête. Ou les autres. Ou nous tous. J'essaie de faire de l'art. Je ne sais même pas ce que c'est que l'art.
J'arrive à faire de la couleur avec les mots, de la couleur avec les sons, de la couleur avec la couleur. J'ai le cerveau qui baigne dans une soupe de couleurs. Voyez comme l'image est moche. Je ne suis pas un vrai littéraire : je n'aime pas lire. Les auteurs ne sont pas moi, il y a toujours quelque chose qui manque... Je ne voudrais qu'un seul livre où tous les mots seraient à leur place... Ça n'existe pas. Les miens me frustrent à peine moins que ceux des autres. Je ne suis pas moi. Je manque à moi-même.

Il faudrait un livre qui soit entièrement blanc. Pas de titre, pas d'éditeur, pas d'écriture... Des pages blanches. C'est ça la littérature : des pages blanches dans un livre entièrement blanc. Pas de titre. Pas besoin. Celui-là, je le porterais toujours sur moi. Mais qui lirait un truc pareil ? Personne ne sait lire sans doute... Quand je serai capable de me retrouver en plein milieu d'une pièce sphérique et toute blanche j'aurai compris la littérature et l'art. Je ne sais pas comment j'arriverais à ne plus toucher le sol, sans aucune ficelle ou aucune astuce. Le problème de l'art tel qu'on le connait, c'est qu'il y a toujours une trappe ou un cordon, caché derrière, qui tient tout. Quand on l'enlève ça tombe. Il faudrait que ça ne puisse jamais tomber.
Dieu a avoué qu'il n'existe pas. Il a exhibé sa propre trappe. Deus ex machina : mort de l'art. Je crois que je commence à comprendre pourquoi certains ont renoncé.

Pas d'yeux : pas d'art.

Pas Dieu : pas d'art.

C'est tout ce qu'on peut faire : tourner des phrases. Je voudrais faire plus et je n'en suis pas capable. Si seulement je pouvais arrêter. Quand on est déjà fou on ne peut pas se raisonner.
Evidence : tout ce que je peux faire.

17 Octobre 1991, matin.

Chère Madame,
Mon précédent poème a eu l'effet escompté. Il ne vous plaisait guère, je le sais. Tant mieux, il n'était pas pour vous. Je ne sais pas si je serais très capable d'en écrire un qui puisse vous plaire : nous sommes si différents et je vous apprécie si peu.
Une promesse est une promesse. Voici votre poème ; bon ou mauvais, il est à vous :

L'Encore à *** - Sonnet.

Soyons tous deux muets ; c'est un matin, tu vois, rien qu'un matin. C'est un peu gris… Le brouillard vous passe au travers. Sous un arbre vert et violet, qui est loin, là-bas, nous sommes deux ; nous sommes loin, c'est le brouillard : il nous passe au travers. Souffles froids et les mains ; les mains sont blanches. Je suis derrière la vitre et nous sommes sous l'arbre et sous les feuilles : c'est un tilleul.

Plus loin, la ville, elle, est muette ; elle est derrière l'arbre : nous ne la voyons pas mais je la vois au loin. Il n'y a là qu'un banc où nous serions assis et ça ne bouge pas. Quelques plantes ont grimpé et pas de mythologie – c'est rare ; que du neuf immobile. De la fumée froide, de la buée, soyons enfin perdus – figés.

Le vol est essoufflé des oiseaux sans couleur, il est pris par le fond, sans ciel, des nuées. Autour c'est la cohue et l'onde dépeuplée ; soyons deux et absents sous le tilleul en fleurs et le ciel en hiver.

Orgues de barbarie tues, c'est au coin de la fenêtre et au coin de la folie. Que fait-elle (tu) pensée ; que faisons-nous sur la rue qu'un rêve d'arbre-hiver ? Soyons un, muets encore (l'encore a de beau tes yeux).

Tes mains sont de marbre blanc... Galatée ? J'y crois un peu –et c'est terne tout autour. Le monde est un marbre gris, de béton pour une nymphe, lasse. Galatée est callipyge ; tes yeux sont dedans ton corps –que vois-tu ? rien serait juste ; ne fixe rien du dehors. A côté, au loin, c'est moi, et derrière c'est l'encore.

Assise ; c'est moi tout près ; assis ; n'osons pas bouger. Il tombe sur quelques fleurs, nous, qui sont hermaphrodites et sont une et sont posées, sur, en marbre, nos statues, comme par, un dieu, blanc, démiurge de l'hiver. Tout a passé devant pendant presque vingt années ; soyons deux dans les fumées, évanouis, muets surtout ; la ville est loin, l'autre aussi, derrière sa vitre, fou : soyons statues et mouvantes, émouvantes et statues.

Tombe la neige ; on ne la voit pas mais des flocons frissonnent silencieusement sur le sol.

Au fond du jour ce n'est plus l'heure –il n'y en a pas- puisque tu ne fais que penser derrière les yeux et sans qu'on voie ce qui derrière se meurt très lentement et qui foudroie. On ne pouvait mieux distinguer l'âme et le corps qu'en toi qui sont un, et un encore. C'est une néréide et un recueil de poèmes ; plein de fureur et de mystère ; une néréide complexe de poésie.

Au-devant coule une rivière qui est presque bleue ; c'est un torrent, et il s'est arrêté. Ils sont là, vers les eaux, et c'est un je qui gronde et qui sommeille cependant qu'au-dehors ils sont tous deux muets ! Elle et Acis sont deux – il y aura tout de même un peu de mythologie ; il y en a toujours quand on parle du beau, et Galatée est belle.

La vitre gronde, qui se brise, et c'est un bruit, sans les coups, qu'on n'entend pas. Dedans c'est des lumières, des néons qui bouent. Polyphème, c'est moi, à l'œil omniscient et le monstre c'est lui.

Qui, Polyphème, sinon moi qu'ai l'encore pour seul crédo ? Je ne crois à rien, qu'au dehors ; où sommes deux, soyons muets. Il faut paraître un peu plus sourd et même si l'on n'entend rien. Belle matin dans la fumée qui derrière la vitre… est.

L'amant l'autre est tué, qu'était moi mais d'airain.
Elle a le cœur encore ; l'encore au creux des reins.
Polyphème a rugi, ils sont tous deux muets.

Chère Madame, il est un peu long, je sais, pour quelqu'un qui n'aime pas beaucoup la poésie. Croyez bien que je n'ai pas pu faire plus court. On ne décide pas toujours. Dans l'espoir que ça vous plaira.
Bien à vous.

La bataille fait rage et des soldats partout
Qui saignent, dégueulent, qui se marrent surtout
Et par l'alexandrine aïeule et douairière
Je m'en vais vous en faire un petit inventaire.
J'en vois un juste ici, à la casaque mauve
Il a l'air d'être mou… mou comme une guimauve !
Hé, toi ! le hongre niais, flânant comme une abeille,
Tu es un écrivain ? C'est toi Pierre Corneille ?

_Je suis Pierre aussi, mais moi c'est Pierre Ronsard
Et je ne suis pas hongre, oh, à peine rossard…
Je suis joli poète aux sonnets doux et gais,
De force dans l'armée, on m'a fait papegai…
Mais je suis un guerrier, j'ai mes coups de grisou,
Je pique avec mon dard mais à coup de bisous !
Voyez, lisez monsieur…
Vous lisez…
Alors ?
Hein ?

Hé ! Pierre Ronsard ! Vos sonnets ont trop de roses.
Jaunes, bleues, vertes fiel, écarlates ou roses :
Une, deux, trois, quatre, cinq et bientôt six roses
Tant que début dix-huit on en a des cirrhoses.
Vos sonnets sont entiers enflures et en fleurs,
Vous sonnez le clairon, la migraine m'effleure.
Vous avez un pépin, là-haut, une gangrène :
Vous êtes fifrelin des pépins et des graines.

Ronsard a de la ronce : il aime les épines.
Le Pierre est herbivore : croque, du pin, les pines.
Ronsard a de la ronce et surtout beaucoup d'art.
Fifrelin, herbivore et soldat comme amant,
Chez Pierre la femme est un fort plus qu'un diamant.
Ronsard est jardinier et amoureux-soudard.
N'a-t-on pas des soldats un peu plus vigoureux-douloureux
Que ce rose chapon un peu trop langoureux-amoureux ?
Celui-là, habit violet, quel est son prénom ?
Ça c'est un guerrier costaud, non ?
  _ Wilhelm Albert Włodzimierz Apolinary
  De Waz-Kostrowicki : Guillaume Apollinaire !
    Au rapport
    Aux rats, porcs,
    Mort aux rapts !
Qu'est-ce que c'est ce nom qui prend deux vers entiers ?
Vous êtes équipementier ou passementier ? Ferblantier ?
  _Rien de tout ça !
  A peine un écrivain : tenez.
Alcools ? Vous êtes un ivrogne ? Aviné ?
Tant de vin, de boissons, de gnaule, d'eau de vie :
Vous vous laissez aller à bon nombre d'envies...
Trop d'automne, de gris, d'obscur et d'Allemagne,
Des jeux douteux... Du cul ! Et des tziganes !
Oh là là ! Oh là là ! Oh là là ! Oh là là !
Il est fou ; c'est un Horla – loi !
  _Poisson pourri de Salonique
  Ta mère fit un pet foireux...
[Rien de meilleur que les Alcools, je me désole d'avoir fait un Don Andrea aussi imbécile... Je me désole !]
  _Un micro maquereau-exocet sautille
    Sautille

> Il y avait effectivement un drôle de maquereau-exocet microscopique qui partait dans une guerre solitaire à l'intérieur d'un grand hôtel sombre et vide. Il montait les escaliers grinçants, les murs écrus, les poutres en bois mité. Il est arrivé sur le toit, sur le rebord de la cheminée. Alors il grossit. Il grossit. Il grossit. C'est maintenant un macro maquereau. Mais encore petit et il sautille. Alors c'est un micro maquereau macro exocet. Qui sautille qui sautille.

Effronterie provocante, à coup sûr c'est un hapax
Vous foutez-vous de la gueule du monde, Max ?
Vous n'êtes pas en guerre, et pas soldat.
Quelle est votre dada ?
La drôlerie ?
Le riz ?
Je n'aime pas ces soudards, ils n'égorgent pas assez
Ce sont des mauvais rimards, inventeurs d'Henris Macés
Je veux des fous furieux éventreurs de nourrissons
Qu'ils étripent à la main pour faire des saucissons.
C'est affreux ? Non, c'est du vers et c'est de la poésie
Vous n'avez qu'à faire mieux, un truc joli, allez-y :
« Mes larmes au ciel enserrent mon cœur malade
Je suis seul et trop pensif, ivre des eaux de la rade »...
Vous êtes trop fort pour moi ! Ne me faites pas de mal !
Je n'écrirai plus de vers... Avant l'août, foi d'animal.
Assez de cette guéguerre trop, bien trop, imaginaire
Et de jadis et naguère : mille fois quinquagénaire.
Je l'aime pour ça.
Laissons-la.

Bataillons rangés. Bien droits. En ligne. Deux lignes. Au milieu soldats morts. Cadavres empilés. Désordre.

Le brouillard se lève (la terre qui souffle). Plein centre un petit garçon.

-ZOOM-

C'est un garçon de bois, comme Pinocchio dirait-on. C'est un garçon de bois qui a la tête bien plus grosse que le corps. Son corps est affreusement malade, maigre, malingre. C'est taillé au gros couteau dans le bois, il a presque des mains. Le corps est abimé, les coins bruns, très bruns. Bois rondouillard. Et la tête ! La tête !

La tête c'est un drôle d'œuf de bois mal dégrossi, des entailles au crâne, à la joue... Nez de broc, nez de travers... un bout de bois rond avec deux trous, espèce de nez de cochon aux coins brûlés, matière cireuse brune... Cet œuf c'est du bois jaune ! Jaunot comme le Pierrot de Maupassant. Un jaune qu'à moitié jaune... Et tous les bouts de coins qui dépassent ! Tous brûlés, noir ou brun foncé. Pas de cheveux ; difficile dans le bois ! Les yeux, ça doit être des billes noires, de petites billes... ou des ronds de quelque-chose... Des pièces ?

On dirait qu'il est à genoux (ses jambes sont si courtes)...

Vous voyez la scène ? Le brouillard qui se lève sur un champ de bataille jonché de cadavres gris et violets, deux lignes bien rangées de chaque côté, et qui sort du brouillard, prestige, un petit bonhomme de bois frêle, à genoux, et brûlé...

Holy crap on a cracker !

Confutatis Maledictis
Wolfang Amadeus Mozart

Je voudrais qu'il parle un peu… Eh ! Comment voulez-vous qu'il parle ce petit bonhomme de bois, à piétiner des pistons crevés ? Ni sa couleur ni sa matière, et pas son bruit non plus. Un enfant qui parle au milieu des cadavres… foutue foutaise ! Et de bois… et brûlé…Non. Assez de cette bataille. ~~Revenons~~ Je reviens. Chez moi.

C'est la plaine des digues, ancien lit de rivière, cabossé, vide et sec, plein que pendant la crue, quand le trou du S'ris donne. Vallon boursoufflé. Lit : petite enclave, resserrée –chaud et confortable. Début de printemps (trop chaud pour la saison – soleil qui cogne ; on fait le bois) : l'herbe est sèche, jaune donc, un peu comme la paille mais terre grasse : noire. Ciel bleu-gris, quelques traits de nuages ; ciel couleur à moitié de la rivière qui a coulé (rivière portée aux nues, montée là-haut –printemps : période de transition d'une minute entre l'orage et l'été quand les créatures monstrueuses ou féériques sortent des trous du sol, rien qu'une minute). Paysage-mot : *Flandres* –foin-orage.

Une tribu de créatures primitives, des créatures du sol, terrées, qu'on voit quand on déraisonne. Ils sont quelques-uns, une bonne quinzaine (quinze = vingt) éparpillés, en deux îlots de trois ou quatre, les autres dispersés autour. Gros individus trapus. Ils ont le corps systématiquement tordu, noueux, on les prendrait pour des pieds de vigne immenses. Quelques bras indestructibles, au bout, des poings massifs. Immobiles, larges comme trois hommes, lents sans doute ; ils feraient trembler la terre rien que d'un coup de poing au sol. Masques, des sorciers. Pas de visages mais des masques aux figures atroces. Des cheveux comme des tiges hérissées, souples, pointues, plusieurs mètres qui montent droit vers le ciel : des fouets drus qui sont terrifiants, ils poussent en crinière jusque sur le dos. En durcissement : le vent les fait à peine bouger. Le corps est déjà durci : ils ont la peau comme une armure d'écorce : rainurée, nervurée, avec des crevasses, des pointes cornues de peau sombre, grise ou brune, reflets violets à cause du ciel de rivière. Créatures qu'ont l'air de démons telluriques (entrailles) ; mais le troupeau est loin et endormi.

Là, c'est la digue, ils ne nous voient pas (ils ne voient ni n'entendent rien). On est au pied de la digue. Aujourd'hui, il y a des piquets au-dessus, mais on est avant. Le premier qui, ayant enclos un champ, s'avisa de dire « ceci est à moi » et trouva des gens assez simples pour le croire, celui-là fut le vrai destructeur des démons imaginaires de ma terre. Que de crimes, que de guerres, de meurtres, que de misères et d'horreurs n'eut point épargnés au genre humain celui qui, arrachant le pieu (sans combler le fossé) eût crié à ses semblables : « Gardez-vous d'écouter cet imposteur ; vous êtes perdus si vous oubliez que les fruits sont magiciens et que la terre bourgeonne de monstres fabuleux. »

I SONNET
Avec la manière de s'en servir

Réglons notre papier et formons bien nos lettres :

Vers filés à la main et d'un pied uniforme,
Emboîtant bien le pas, par quatre en peloton ;
Qu'en marquant la césure, un des quatre s'endorme...
Ca peut dormir debout comme soldats de plomb.

Sur le *railway* du Pinde est la ligne, la forme ;
Aux fils du télégraphe : –on en suit quatre, en long.
A chaque pieu, la rime –exemple : *chloroforme*.
–Chaque vers est un fil, et la rime un jalon.

–Télégramme sacré – 20 mots. – Vite à mon aide...
(Sonnet – c'est un sonnet–) ô Muse d'Archimède !
–La preuve d'un sonnet est par l'addition :

–Je pose 4 et 4 = 8 ! Alors je procède,
En posant 3 et 3 ! –Tenons Pégase raide :
« Ô lyre ! Ô délire ! Ô... » –Sonnet– Attention !

Pic de la Maladetta. –Août.
Tristan Corbière

_Alors, comment tu t'appelles mon bonhomme ?
_Je sais pas.
_Tu sais pas ? Décidément, c'est la coutume locale ça ! Tu n'as pas au moins un prénom ? Un surnom ? Tu ne connais pas le nom de quelqu'un ?
_J'ai pas de nom parce qu'on m'a enlevé avant que je sois fini. Regardez, du coup mes mains elles sont mal fichues, et j'ai même pas de cheveux, j'ai une grosse tête et je suis tout cabossé !
_Et qui est-ce qui a fait tout ça déjà ? Ton corps, qui est-ce qui l'a sculpté ?
_Il s'appelle Chaïm, c'est pas mon papa mais presque. On vivait dans un cirque, avec des animaux et des magiciens et Chaïm, lui, il jouait de l'orgue, et moi je pouvais rester à côté de lui pendant les spectacles ; même si je voyais pas tout parce qu'il y avait toujours des gros messieurs j'aimais bien le cirque !
_Chaïm ? Ah ! Ben voilà pourquoi tu n'as pas de nom ! L'excentrique celui-là ! Je le connais, moi, Chaïm, j'ai même habité dans une de ses roulottes quelque temps, j'ai vu le cirque, c'est vrai qu'il est joli le spectacle. Il ne t'a pas abandonné je suis sûr, tu n'as qu'à traverser la forêt pour le retrouver, j'en viens, ce n'est pas très loin, tu le trouveras facilement.
_Je peux pas.
_Et pourquoi tu ne peux pas ?
_Parce que.

_Allons, ne fais pas l'enfant, tu peux très bien y retourner, il sera content de te retrouver ! Tu ne crois pas ?
_Non. Je ne peux pas.
_Alors, c'est lui qui t'as abandonné ?
_Non.
_C'est lui qui t'as fait toutes ces marques ?
_Non.
_Il était gentil avec toi ?
_Oh, oui !
_Eh bien ! Retourne auprès de lui, ou alors dis-moi pourquoi tu ne peux pas, mais je ne vais pas perdre mon temps avec un gamin de bois qui ne veut pas de mon aide, j'ai une guerre à remporter, moi.
_Je ne peux pas y retourner parce que je suis parti. On a pas le droit de retourner au cirque quand on est parti. Sinon, on meurt. Même vous, si vous avez été au cirque, même une fois, vous ne devez pas y retourner. A peine que vous aurez aperçu la roulotte que vous brûlerez d'un coup ! J'ai même vu une fois que c'est arrivé !
_Alors c'est pour ça que tu es tout brulé à la figure ?
_Non. Ça, c'est les soldats qui m'ont enlevé.
_Les soldats ? Mais, ils ne sont pas réels, les soldats ! Du moins pas pour toi, ce sont mes soldats, ils ne peuvent pas te faire de mal, à peine peuvent-ils m'en faire à moi ! Je les ai créés de toute pièce, pure invention, rien de matériel là-dedans.
_Si, ils peuvent. Même faux, c'est bien suffisant. Ils m'ont enlevé du cirque juste avant que vous arriviez, parce que vous vouliez la faire votre guerre, alors il fallait bien qu'il y ait des soldats que vous affrontiez. Et les soldats ça commet des petits méfaits. Alors ils m'ont enlevé. Ils m'ont mis dans un sac et Chaïm, lui, il n'a rien pu faire, ce n'est qu'un artiste du cirque, il ne peut pas battre des soldats. Ils m'ont emmené à travers la forêt et je me

cognais partout parce qu'ils laissaient traîner le sac derrière eux sans faire attention, je me cognais la tête et les bras contre des branches et des pierres. Ensuite, pour s'amuser, ils m'ont brûlé le visage, encore et encore. Moi, ça ne me faisait pas trop rire et ça me faisait un peu mal. Alors j'ai demandé qu'ils arrêtent mais ils ont dit que c'était pour me faire de jolies couleurs. Maintenant, ça me fait plein de marques marron et noires et je suis encore moins beau qu'au début. J'avais même un beau nez droit mais ils me l'ont coupé, ils disaient « je t'ai pris ton nez », ensuite ils me le rendaient, mais il y en a un qui a fini par le garder, il n'a pas voulu me le rendre, maintenant le mien est tout court.

_Allons, calme-toi, tu n'es pas si laid, jaune et noir, tu ressembles à une abeille, tout le monde aime les abeilles, elles font du miel, on en fait des bonbons et ça régale tout le monde ! Tu aimes les bonbons au miel n'est-ce pas ?

_Les abeilles on les écrase parce qu'on croit qu'elles piquent !

_Les abeilles ne piquent que quand on les attaque, tu ne sais pas ça ?

_Si je sais, mais les autres ils ne savent pas et comme ils ont peur ils les écrasent sans savoir !

_Tout le monde sait bien que ce sont les guêpes qui piquent et qui ne font pas de miel...

_Oui, mais les gens, ils ne cherchent pas à faire la différence entre les guêpes et les abeilles, ils voient juste que c'est noir et jaune et que ça vole ! Alors quand ils en voient une trop près, ils ne réfléchissent pas, ils l'écrasent ou ils la chassent, et les abeilles, elles font du miel sans que personne ne les remercie jamais, on dit : « elles font du miel, hum, c'est bon le miel », on leur vole tout leur miel et il ne leur en reste plus, alors qu'on ne leur a même pas demandé et qu'elles avaient beaucoup travaillé

pour ramener le pollen des fleurs... Voilà ce que les gens en font des abeilles !
_Oui, mais les abeilles savent voler, tout le monde aimerait voler !
_T'es bête ou quoi ? Tu crois que je vais savoir voler parce que tu dis que je suis comme une abeille ?
_J'essaie d'être gentil ! Regarde-toi, tu es assis, tu chougnes, tu ne fais rien et tu attends en disant que tu es laid et que tu es malheureux ! Je pourrais tout aussi bien te laisser tout seul, passer mon chemin, te découper en morceaux pour faire du petit bois !
_Ah ! Ah ! T'as qu'à essayer, si tu fais ça, les grands géants chevelus, là-bas, ils vont te ratatiner. Splash ! par-terre !
_Comment ça ? Ils ne nous voient même pas ! Ils dorment !
_Oui, mais j'appartiens à ici maintenant, c'est ma place, je ne peux plus m'en aller et je ne veux plus m'en aller, parce que même triste et laid j'y suis bien ! Si tu me fais du mal, les grands géants ils le sentiront, ça leur fera mal aussi, alors ils se réveilleront et ils viendront t'aplatir le nez, et si tu résistes, la terre, elle en enverra d'autres, et d'autres encore, mais si tu résistes à tous, elle tremblera jusqu'à ce que tu plies ou que tu décampes et si tu résistes encore, elle disparaitra avec toi dedans ! Voilà !
_Eh bien, pour un pantin qui se dit sans défense ! Je peux partir d'ici, moi, au moins ?
_Oui, d'ailleurs si tu restes trop longtemps tu te feras sûrement manger. Mais pour repartir tu n'as qu'à passer derrière le saule pleureur, ici, juste à côté, derrière la clôture, tu reconnaîtras vite la plaine de tout à l'heure où il y avait la bataille. Mais tu devrais te méfier, tu perdras sûrement !
_Ah ! Ah ! Ca me ferait mal ! C'est moi le maître de cette guerre, ces soldats, j'en suis le créateur, je décide du nombre que

j'affronte, de leur force, du lieu où je combats et du temps que ça dure ! Je décide de tout ! Pour qu'ils me mettent à bas il faudrait déjà que je le leur permette, et je n'en ai pas l'intention. Oublie l'idée de la guerre mon bonhomme, laisse la stratégie aux grands guerriers, les enfants s'amusent avec des bâtons, tu auras bien le temps de voir la guerre quand tu seras plus vieux.
_Je ne serai jamais pluvieux.
_Adieu, mon garçon.

_Sûrement, tu perdras…

17 Octobre 1991, soir.

Il aura fallu que je cède. Quel piètre écrivain je fais (mais je suis toujours au moins aussi bon que mes contemporains) : Chaïm me manquait trop, il fallait que je me le rappelle un peu. Comme je comprends Dumas qui pleurait son gros Portos et qui traînait son chagrin jusqu'à table ! Ah ! J'ai bien essayé d'attendre, d'écrire autre chose... Impossible ! C'est un péché d'aimer ses personnages... Ça coûte à mon livre qui voulait être une œuvre d'art...
Si je suis faible, c'est que je me plais mieux dans mon livre qu'au-dehors. Il y a des personnages qui me font rire, dont je me moque un peu –ceux-là font de bons héros- il y en a qui me répugnent (ceux-là donnent un peu de sel à mon écriture) et il y en a desquels je me sens proche, je serais volontiers leur ami, je leur taperais sur l'épaule, on irait aux cafés éclatants et on commanderait des bocs, de la limonade... Hé ! Comment pourrais-je préférer le dehors à un monde que je me taille sur mesure ? Vous ne savez pas ce que c'est !
L'ennui c'est que je ne peux pas vivre complètement dans mon livre... il me rejette –je ne suis que l'auteur et il n'y a pas de place pour l'auteur dans un livre. L'auteur... même pas ! Je suis celui qui écrit, si encore j'étais l'auteur, je pourrais me lover dans un coin de page, à la reliure, sans bouger, on me laisserait à peu près rester. Même pas !

L'artiste a toujours le cul entre deux chaises ! Entre un vieux tabouret pourri et un fauteuil Voltaire ! Voyez comme c'est confortable.
Condamné à vivre dans le dehors ? Eh, bien ! J'en écrirai des livres et, empilés, j'en ferai des murs épais, trois fois les murs de Jéricho et de Troie, et bien malin celui qui viendra les faire trembler, mes murs. Bien hermétique, que rien ne passe : une crypte cryptée.

On avait remarqué ça nous autres, une nuit qu'on savait plus du tout où aller. Un village brûlait toujours du côté du canon. On en approchait pas beaucoup, pas de trop, on le regardait seulement d'assez loin le village, en spectateurs pourrait-on dire, à dix, douze kilomètres par exemple. Et tous les soirs ensuite vers cette époque-là, bien des villages se sont mis à flamber à l'horizon, ça se répétait, on en était entourés, comme par un très grand cercle d'une drôle de fête de tous ces pays-là qui brûlaient, devant soi et des deux côtés, avec des flammes qui montaient et léchaient les nuages.
On voyait tout y passer dans les flammes, les églises, les granges, les unes après les autres, les meules qui donnaient des flammes plus animées, plus hautes que le reste, et puis les poutres qui se redressaient tout droit dans la nuit avec des barbes de flammèches avant de chuter dans la lumière.
Ça se remarque bien comment que ça brûle un village, même à vingt kilomètres. C'était gai. Un petit hameau de rien du tout qu'on apercevait même pas pendant la journée, au fond d'une moche petite campagne, eh bien, on a pas idée la nuit, quand il brûle, de l'effet qu'il peut faire ! On dirait Notre-Dame ! Ça dure bien toute une nuit à brûler un village, même un petit, à la fin on dirait une fleur énorme, puis, rien qu'un bouton, puis plus rien.
Ça fume est alors c'est le matin.
[...]
Le moment vint. Mes silex n'étaient pas très bien choisis, mal pointus, les étincelles me restaient surtout dans les mains. Enfin, tout de même, les premières marchandises prirent le feu en dépit

de l'humidité. C'était un stock de chaussettes absolument trempées. Cela se passait après le coucher du soleil. Les flammes s'élevèrent rapides, fougueuses. Les indigènes du village vinrent s'assembler autour du foyer, furieusement jacasseurs. Le caoutchouc nature qu'avait acheté Robinson grésillait au centre et son odeur me rappelait invinciblement l'incendie célèbre de la Société des Téléphones, quai de Grenelle, qu'on avait été regarder avec mon oncle Charles, qui chantait lui si bien la romance. L'année d'avant l'Exposition ça se passait, la Grande, quand j'étais encore bien petit. Rien ne force les souvenirs à se montrer comme les odeurs et les flammes. Ma case elle sentait tout pareil. Bien que détrempée, elle a brûlé entièrement, très franchement et marchandise et tout. Les comptes étaient faits. La forêt s'est tue pour une fois. Complet silence. Ils devaient en voir plein la vue les hiboux, les léopards, les crapauds et les papagaïes. Il leur en faut pour les épater. Comme nous la guerre. La forêt pouvait revenir à présent prendre les débris sous son tonnerre de feuilles. Je n'avais sauvé que mon petit bagage, le lit pliant, les trois cent francs et bien entendu quelques « cassoulets » hélas ! pour la route.

Après une heure d'incendie, il ne restait presque rien de mon édicule. Quelques flammèches sous la pluie et quelques nègres incohérents qui trifouillaient les cendres du bout de leur lance dans les bouffées de cette odeur fidèle à toutes les détresses, odeur détachée de toutes les déroutes de ce monde, l'odeur de la poudre fumante.

Céline, *Voyage au bout de la nuit.*

Passé le saule il n'y avait plus eu aucune armée, plus aucun soldat, et ce n'était pas du tout la prairie où s'était déroulé la bataille. Don Andrea se retrouvait à marcher en plein milieu des champs tantôt dans la terre grasse, tantôt sur des chemins de cailloux. Dans les champs rien à manger, évidemment, en temps de guerre on ne va pas vous laisser tout piller comme ça, on ramasse tout dès que le clairon a sonné, on cache, on enterre, on fabrique des trappes et des doubles fonds, et on vous dit qu'il n'y a plus rien, que les autres ont déjà tout pris. Des menteurs ! Personne de meilleur que les autres, tous des rats qui se terrent quand ils se sentent menacés et qui mordent toute leur famille dès qu'ils croient avoir un peu le dessus. Rien à grailler dans les champs, pas même un oignon qu'on aurait oublié de ramasser.

Don Andrea marcha tout droit pendant vingt bonnes minutes et finit par distinguer, au loin, les lumières d'un village. Et si l'ennemi avait pris le village ? Qu'il y stationnant pour la nuit ? Il fallait être prudent. Comme il cherchait un chemin à se frayer sans prendre trop de risques il tomba sur une silhouette noire, seule, comme lui, et qui se méfiait tout autant. Don Andrea parla dans plusieurs langues afin de s'assurer de la nationalité de l'homme et comme ils avaient l'air d'être du même camp, notre héros s'apaisa.

_T'es une casaque violette toi aussi ?

_Ouais.

_Ces vaches de bleus ont pris le village dans l'après-midi. Ils y passent la nuit. Tu vas te faire pincer à coup sûr.

_Et toi alors ? T'en viens ? Ils t'ont pas piqué !
_J'viens chercher des bouteilles de vin, ils piqueraient tout ces saligauds, viens avec moi, il y a une petite blonde au village, son mari et son fils son violets aussi, elle nous héberge et elle nous cache, elle te trouvera bien un coin où dormir. Moi c'est Robinson.
_Andrea. T'es sûr de ton coup ? Elle va pas nous chier dans les bottes ta bonne femme ?
_Ça fait plusieurs jours que j'y suis, elle est même plutôt docile si tu vois ce que je veux dire... Tu verras, t'auras peut-être de quoi t'en envoyer, si elle t'a à la bonne.
Alors les deux allèrent déterrer six ou sept bouteilles bien enfouies au coin d'un champ et s'en retournèrent vers le village. Dans toutes les maisons allumées, on voyait par les fenêtres des casaques bleues descendre des bocs, se goinfrer et fricoter avec des femmes peu consentantes. A peine deux ou trois maisons restaient éteintes ou avaient leurs volets fermés.
_Comment ça se fait qu'ils ont pas aussi pris sa maison à ta blonde ?
_Elle a fait passer son fils pour cholérique, avec l'hécatombe de l'an dernier, tu penses, la bleusaille, elle a décampé vite fait, à peine s'ils acceptaient encore de s'installer chez les voisins, ils y ont mis que les mauvais soudards.

L'intérieur était en fait assez coquet, on aurait presque cru être dans une taverne tant il y avait du bois partout, ça apportait un peu de réconfort et ça donnait surtout envie de boire. Un bon verre de vin blanc, bien soufré, qui donne un peu le mal de tête, après tout ce temps à patauger dehors dans la boue ! Don Andrea fut bien accueilli. La blonde, qui s'appelait la Berthe, leur servait à boire et à manger à faire péter la panse d'un porc et réclamait en échange des récits de voyage ou d'exploits militaires. Etant le dernier arrivé, c'est Andrea qui dut raconter presque toute sa vie. Robinson finit par descendre à la cave où on lui avait installé une paillasse ; il tenait à peine debout tant à cause de l'alcool que de la fatigue.

La Berthe fit monter Andrea au grenier et comme elle lui posait une paillasse à lui aussi, elle demanda une dernière histoire. Il raconta alors comment il avait fait sauter la caisse à toute une brigade stationnée dans son village le jour de la Saint-Jean : « un sacré feu de joie ! » Et comme on finissait sur la joie, ils en allumèrent un feu tout autre, pas moins ardent, et qu'empêcha longtemps Robinson de s'endormir bien qu'ils furent séparés par un étage entier, à tel point qu'avant d'aller à sa chambre la Berthe dû s'assurer qu'ils n'avaient pas alerté les bleus.

Enfin la nuit fut bonne, la première depuis des mois. Plus entendre d'un coup les sifflets des balles et la pétarade sans cesse, on se croirait presque mort, on y est mort, pas d'une balle dans le bidon mais de fatigue, des nerfs qui bouillonnent. On sait ce que c'est que la mort avant de la vivre, la vivre même c'est sûrement plus facile. La nuit fut courte, trop peur de se faire étriper par un bleu en plein sommeil. L'habitude, elle se prend vite en temps de guerre, on dort jamais que d'un œil, d'un œil ouvert. La Berthe leur proposa un morceau de pain et de l'andouille « tout droit de Guénolé » avec une tasse café ; ils mangèrent et burent plutôt du vin, du blanc. Robinson était assis sur une chaise tout juste rempaillée et regardait à travers les jours des volets.

_C'est bourré de bleus sur la place, tous à la file indienne, vont finir par s'enfile ces crevards ! Pourront s'faire curés ces pédérastes !

_C'est la revue ?

_Tu l'as dit ! Et le colon comme un piquet, droit devant la porte ! J'te le foutrais dans le puits ce fumier-là !

_Hé ! T'as du génie Robinson ! Devant la porte que tu dis ? Fais-moi voir.
_Qu'est-ce que tu me chantes ? On peut point, t'as vu le nombre ? On va se faire tirer les tripes, au moins trente qu'ils sont.
_Fais-moi confiance Robinson, on se met derrière la porte, on attrape le colon, on le soulève et tu me suis. Tu me suis ça ira !
_Mon vieux, file-moi un canon, faudra au moins ça pour que j'te suive sans avoir le derrière qui claque.

Ils se mirent derrière la porte. Andrea jetait un œil par un interstice entre deux lattes de bois. Il saisit la poignée et souffla « top ». Les deux bonshommes bondirent hors de la maison et empoignèrent le colonel qui n'avait même pas eu le temps de se retourner, ils lui passèrent chacun un bras sous l'épaule et le soulevèrent. Andrea tira vers la gauche et Robinson suivit. Ils allèrent jusqu'au puits en titubant à moitié comme l'autre se débattait. Ils le balancèrent la tête la première. Un long cri se fit entendre puis le claquement dans l'eau. Les autres, en brochette, avec leurs yeux de merlans frits, ils n'avaient rien compris. Tout d'un coup il y en a un qui part, au petit trot, les genoux bien hauts, en direction du puits et ils le suivent tous bien régulièrement, un mètre par un mètre à la queue leu leu, le premier se jette la tête la première et tous à sa suite. Et voilà trente ou quarante soldats plantés la tête en bas au fond du puits, les premiers la tête dans l'eau, les autres empilés bizarrement, tout tordus, à grogner de douleur : « tu m'écrases », « j'ai ton pied dans l'œil », « dégage ton bras ». Un joli coup, tous dans le même filet, à deux contre cinquante.
_Ah ! Ah ! Ça mon Andrea, on leur a bien fait la nique aux bleus ! Alors, ça vous fait du bien ça, tous emboités à la file, ça vous la branle les mignonnes ?! Viens donc, on va se reprendre un coup d'andouille et un canon, et pis la Berthe aussi, pour fêter ça ! Et

quand on aura fini la Berthe on ira voir dans le voisinage, ton affaire elle m'a donné de l'ardeur, on va toutes se les cogner !
_Vas-y toi si tu veux, laisse-moi la Berthe. J'vais me reposer encore un peu.

La Berthe s'échangea volontiers contre la petite histoire qui venait d'arriver et Don Andrea se rendormit quelque temps, moins d'une heure. Quand il se leva, il avait préparé ses affaires et était prêt à partir. Comme il sortait de la maison, la Berthe avait l'air bien triste, il entendit Robinson qui grognait : les voisines l'avaient foutu dans le puits avec les bleus ! Au moins, il l'avait son enfilade. Alors Andrea alla lui dire « salut » depuis le bord et lui lança un bout d'andouille.

Il partit en marchant lentement sur un chemin de champ et devant lui courait le petit porteur en tenant son béret, il portait une lettre à la mère d'Andrea qu'il avait écrite juste avant de partir sur la table de la cuisine, entre deux verres de vin, deux bouchées d'andouille et deux bouchées de la Berthe.

Dans le brouillard s'en va Don Andrea cagneux, sans bœuf. Les rayons blancs à travers le voile pour une lumière floue, pâlotte, petit chemin de campagne (encore), mi terre mi gravier : brun-vert autour (les champs), beige, blanc cassé, écru au milieu (le chemin).

Ah ! L'automne, l'automne a fait mourir l'été,

Dans le brouillard s'en va la silhouette grise.

Et une autre vient : c'est un grand homme, une silhouette sombre noire et efflanquée, efflanquée... décharnée, oui ! C'est un homme décharné, sur un cheval décharné, la bête supporte à peine son maître. Ils n'ont pas dû manger depuis plusieurs années. Ils ont la peau flétrie et qui tombe, on croirait qu'ils sont âgés de plusieurs centaines d'années et moribonds. Le bonhomme porte une petite moustache, ses yeux... on ne les voit pas : c'est un drôle de plat à barbe qui lui tombe sur le front et sur les sourcils, du coup, il se balade le nez en l'air pour y voir un peu quelque-chose. Son armure est une demi-armure, ou peut-être un quart d'armure... en tout cas elle fait du bruit son armure. Un peu à la traîne, derrière, il y a Sancho, un petit gros bonhomme replet qui a dû manger pour son maître, il est monté sur une petite bourrique qui trottine et qui a dû, elle, manger pour deux canassons, du foin bien gras. C'est à croire que le petit gros et sa mule martyrisent le grand maigre et sa carne ! Il a des bottes, Sancho, et un chapeau assez pointu. Mais vous les connaissez déjà.

_Mais je vous reconnais, vous le grand Don Quichotte, l'amant de Dulcinée, le pourfendeur de dragons, le sauveur de la Manche et de l'Hispanie tout entière !
_Si señor, soy Don Quixada, pero no le conosco, quien es ?
_Je suis Don Andrea, héros de cette rhapsodie et comme vous-même j'ai lu *Don Quichotte*. Déjà dans mon enfance on me contait vos exploits, et voici Rossinante, dont on dit que l'herbe ne repousse plus là où ses sabots sont passés et le fidèle Sancho, maître d'Excalibur et de Bucéphale… Ah, Don Quichotte, vous qui vainquîtes à la course la biche aux pieds d'airain, qui tuâtes les oiseaux de Stymphale, qui domptâtes de taureau de Crète… Vous qui décapitâtes la Méduse, vous qui sentîtes un petit pois jusque sous votre matelas ! Comment ne pas connaître par cœur vos exploits ?
_Mais je n'ai rien fait de tout ça ! J'ai un peu poursuivi ma Dulcinée du Toboso et j'ai été beaucoup rossé… En revanche j'ai affronté des géants, vogué sur des barques enchantées et combattu des maléfices jetés par de puissants mages, n'oubliez pas cela ! Et qu'avez-vous fait, vous-mêmes, dans cette rhapsodie ?
_Eh bien… J'ai quitté mon village, ma mère et mon amie pour partir à l'aventure, je comptais gagner une guerre dont je venais d'imaginer le déclenchement… Oh, une guerre bien humble… Je l'ai faite moi-même, elle n'est pas digne d'une guerre de cent ans ou d'une guerre mondiale… Je ne suis pas un très grand héros vous savez. Cela dit, je suis assez fier d'un petit coup que j'ai réalisé ce matin même : j'avais trouvé refuge dans un petit village entièrement pris par les casaques bleues (qui sont mes ennemis) après une grande bataille de laquelle j'étais sorti brillamment victorieux ; tous les bleus étaient rangés en ligne pour la revue matinale et j'étais caché derrière une porte ; quand le colonel fut placé bien droit devant ma porte je bondis

hors de ma cachette, je le saisis et le jetai bien au fond d'un puits la tête la première ; figurez-vous que tous les petits soldats ont sauté derrière au pas de course ; j'en ai balancé une centaine par le fond, à moi seul, un joli coup non ?
_Hé ! Mon ami, voilà qui devrait vous valoir une jolie petite médaille ! Peut-être même que vous serez promu !
_Vous croyez ? Vraiment ?
_Eh bien, oui ! Vous devriez recevoir la croix des rescapés de bataille, la médaille des actes héroïques, peut-être quelques barrettes encore pour service rendu à votre couleur... Je serais vous, je rentrerais illico chez moi pour recevoir mes récompenses, comment voulez-vous qu'ils vous retrouvent si vous n'êtes pas chez vous ?
_Mais la guerre n'est pas remportée, ce n'était qu'une petite bataille...
_Mon bon ami, quel soldat faites-vous ! Tous les aventuriers savent bien que celui qui remporte une bataille remporte la guerre ! On dit le contraire parfois... Des histoires pour donner de l'espoir aux enfants, aux petits gros qui sont martyrisés... Allons, allons ! Soyez un peu adulte, raisonnez-vous mon vieux ! Rentrez chez vous, vous finirez maréchal de votre logis !
_Seigneur Quichotte, avec tout le respect que je vous dois, je ne rentrerai pas chez moi avant d'en avoir décousu avec le général des bleus !
_Et comment est-il votre homme ?
_C'est un grand homme aux joues assez pleines et qui se tient bien droit. Il porte un tricorne et sur sa casaque bleue il est le seul à porter des épaulettes d'or. Il porte aussi des favoris qui grisonnent.
_Mais je le connais votre homme ! Je l'ai vu ce matin ! Il avait l'air salement affligé par votre affaire, on venait de lui apprendre qu'une centurie de ses hommes avait été défaite par un seul

soldat non armé. Il faisait une sacré tête ! Il hurlait sur tous les subordonnés, il maudissait tout ce qu'il pouvait le pauvre homme... Tout rougeaud qu'il était ! Il était tellement énervé qu'il a jeté son tricorne par terre et sans faire attention, une minute à peine plus tard, il a posé le pied dessus, il a glissé, le cul par terre, sa tête a cogné contre une pierre... Il est mort. Une triste affaire ! Mais son armée, sans général vous pensez, elle a déposé les armes et envoyé des émissaires... Ils ont déposé les armes, vos ennemis ! Vous l'avez gagnée votre guerre ! Rentrez chez vous mon ami ! Vous êtes un héros victorieux !

Bien sûr ce subterfuge est peu crédible et un lecteur averti se dira « il se moque de moi, il veut juste que Don Andrea rentre chez lui et il fait tenir un discours complètement absurde à ce Don Quichotte ; personne n'y croirait ! » mais mes personnages ont cette habitude d'être des têtes de mules, ils ne veulent jamais rien savoir, je suis obligé de me débattre comme je peux et d'user de mille ruses pour leur faire faire ce que je veux. Tous ceux qui ont essayé d'écrire quelque-chose savent bien que les personnages sont de vraies bourriques... Il faut donc que Don Andrea rentre chez lui, mais chut, il ne doit rien savoir !

N'allez pas lui souffler cette histoire ou c'en est fait de mon livre ! Je sais bien que rester assis à votre place... quand Don Andrea vit des aventures imaginaires... quand tout le monde s'active au-dedans... ça doit vous chatouiller ! Mais soyez héros autant que nous tous ici, gardez bien votre poste, là, derrière la vitre où personne ne peut vous entendre. Au-dedans, je m'occuperai bien de mener mon orchestre comme il doit être mené et tout ira bien.

Prends patience lecteur, la fin viendra bientôt et tu écriras ton propre livre.

17 Octobre 1991, midi

Enfin j'ai réussi à convaincre Don Andrea de rentrer chez lui. J'espère que le lecteur n'ira pas tout saboter. Tout ce petit monde qu'il faut mouvoir avec précaution... C'est trop de travail, c'est épuisant, je n'en dors plus la nuit. Ca me fera mourir bien jeune !
Il est temps que Don Andrea s'en retourne vers sa mère. Hélas, c'est presque une tragédie, le destin fait son œuvre : il faut qu'il rentre trop tard. L'ennui, c'est que sa mère est morte tout à l'heure, quand j'ai enfin convaincu Don Andrea de rentrer. Si maintenant il change d'avis, s'il ne revient pas tout de suite chez lui, s'il s'égare, il oubliera un peu chaque jour sa mère et quand il reviendra finalement à son village, si encore il revient un jour, il n'aura plus de tristesse, il ne sentira plus de manque... Et je n'aurai pas de fin pour mon livre !
C'est le moment de prier, l'instant de crise, le suspense ! Maintenant se joue le sort de mon livre qui demeurera peut-être, pour toujours, inachevé.
Toute la salle frémit, la tension est à son comble.

Machine arrière. Le chemin du retour est toujours plus court que celui de l'aller, la distance est plus courte, le temps est parfois plus long. Le chemin gris et beige s'alourdit, le brouillard devient une purée anthracite ou violette et elle monte vers les chevilles des dieux. Les dieux sont en colère ! Ils grondent ! Le grand Brahma quadribarbe ronchonne, sa bouche écume et ses barbes moutonnent. La pluie. La pluie calme et violente, en sourdine. Pas d'orage, pas cette fois.

Il faut s'abriter, trouver une auberge, une ferme, une grange : trouver un toit et quelque ouverture à travers laquelle on pourra la regarder tomber, la pluie. Il faut toujours la regarder tomber, la pluie ; mais nous y reviendrons, trouvons pour le moment un abri à Don Andrea.

Comme la pluie et la nuit tombaient dru, Don Andrea s'était encapuchonné. Il courait vers une petite maison plutôt tordue et pointue dans tous les sens, une drôle de bicoque en fait où des poutres sortaient de partout mais éclairée. La lume d'une petite chandelle, point de phosphore, c'est un feu follet magnétique qui attire tous ceux qui courent dehors, on n'en a jamais peur. Au clair de leur lume, des amis Pierrot par milliers, avec ou sans lune, sans nuit, sans pluie, sans auberge, un Pierrot court toujours à la lume.

Don Andrea courut à travers champs et jusqu'à la bicoque, une auberge. L'eau courait sur sa cape et sur son front. Guère plus sec à l'intérieur ! Quand il ouvrit la porte il fut pris jusqu'aux chevilles ; du vin. Il y avait du vin partout à hauteur des chevilles, on avait dû en verser des tonneaux pleins. Don

Andrea paya d'avance une chambre pour la nuit et monta immédiatement, trop de vin et trop de lumière au rez-de-chaussée. A l'étage parfait ! Obscurité de la chambre pour mieux voir le dehors, nuit plus claire au-dehors qu'au-dedans, nuit qui se laisse observer. Avant l'eau, la fumée.
Sur la table qui doit faire office de bureau, il y a une longue pipe et plusieurs pincées de tabac. Il faut l'allumer. Les plus grands magiciens ont toujours fumé des tabacs très fins et qui produisent beaucoup de fumée, c'est une cérémonie, un rite d'initiation… au tour de Don Andrea.

Les magiciens font une fumée épaisse, de la couleur de leur barbe ou de leur chapeau : ils se fondent dans leur fumée. Dans l'obscurité, elle n'est plus grise la fumée, elle prend des couleurs extraordinaires. Elle forme des voiles qui s'effilochent majestueusement, langoureusement ; c'est voluptueux la fumée. Elle dessine des arabesques et se teinte des traits de l'autour. La lueur passe à travers les carreaux ; elle est violette, bleue comme les sapins ou verte ? Elle s'irise comme un œil silencieux. Elle se gonfle et s'élance, mais elle s'éloigne des murs, elle les fuit comme la peste : les murs sont des barrières. Elle ne traverse pas tout (tyrannie de la matière) mais elle ne veut que flotter dans un vide sans gravité : c'est une sphère impalpable dans un univers inexistant et invisible, la fumée. Un
Oiseau tranquille au vol inverse oiseau
Qui nidifie en l'air.

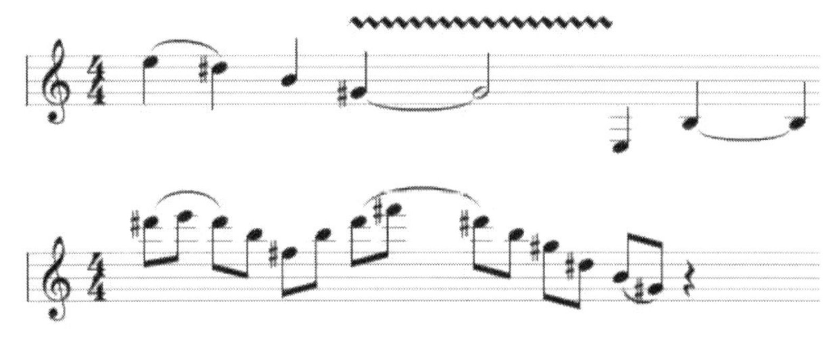

De la cendre qui rampe jusque dans les poumons, dans l'œsophage et dans les organes, vermines tapies qu'on n'entend pas, Don Andrea ça le ferait presque tousser, il n'a pas l'habitude. Le bois nervuré, lui, il résiste, à coup de culot, il effrite la cendre, mais le corps est un cocon mou, pour le mal et les tubercules. Quelques poumons et un peu de cendre, ça fait pousser des plantes grimpantes partout là-dedans, des vignes et des palétuviers même qui ne grimpent pas mais qui vous font des forêts épaisses et humides dans les bronches. Très bien, la forêt pousse et vous perce le corps, quête de lumière. Une belle mort.

La fumée. Souvenirs de chacun. Une femme, Don Andrea en avait connu une capable de se vêtir uniquement de fumée. Elle s'en faisait des robes, des voiles ou des fichus, rien que des haillons parfois ; elle ne se vêtait plus de rien, que de fumée. Et les artistes, les artistes étaient fascinés, mais les peintres seuls parvenaient à donner à voir : il y eut des photographes, artistes nouveaux, ces alchimistes, nombreux, qui tentèrent, ils photographièrent tout son corps, en rafale, ils lui percèrent la peau, et on ne la vit jamais autrement que nue sur une photographie. La chimie ne peut réussir là où l'art remporte des succès, il n'y a que des doigts pour saisir la fumée par le bout de son voile et la découvrir. Les machines échouent à s'envelopper de fumée, les anges en font des vêtements, l'art la caresse.

Don Andrea se piqua d'écriture. Il se piqua le doigt. Il s'endormit. Il n'en écrivit que mieux. La fumée de tabac lui souffla le génie par une fièvre virulente. Une fièvre suante : un torrent. La fumée de pipe est un feu ardent, elle brûle la culasse et jusqu'à la paume, elle consume le corps, le papier, tout brûle, incendie, immolation par le feu et tout flambe jusqu'au cerveau : alors seulement l'art d'écrire. Ils ont écrit sur la fumée des pipes et sur le feu. Ils ont écrit ces génies de pendards. La tête du poète est dans sa pipe, à plein fourneau.

Rhapsodie Classique sur une clef de Fa

~~La Pipe~~

~~Je suis la pipe d'un auteur;~~
~~On voit, à contempler ma mine~~
~~D'Abyssinienne ou de Cafrine,~~
~~Que mon maître est un grand fumeur.~~

~~Quand il est comblé de douleur,~~
~~Je fume comme la chaumine~~
~~Où se prépare la cuisine~~
~~Pour le retour du laboureur.~~

~~J'enlace et je berce son âme~~
~~Dans le réseau mobile et bleu~~
~~Qui monte de ma bouche en feu~~

~~Et je roule un puissant dictame~~
~~Qui charme son cœur et guérit~~
~~De ses fatigues son esprit.~~

Charles Baudelaire

La Pipe au Poète

Je suis la Pipe d'un poète,
Sa nourrice, et : j'endors *sa Bête*.

Quand ses chimères éborgnées
Viennent se heurter à son front,
Je fume... Et lui, dans son plafond,
Ne peut plus voir les araignées.

... Je lui fais un ciel, des nuages,
La mer, le désert, des mirages ;
— Il laisse errer là son œil mort...

Et, quand lourde devient la nue,
Il croit voir une ombre connue,
— Et je sens mon tuyau qu'il mord...

— Un autre tourbillon délie
Son âme, son carcan, sa vie !
... Et je me sens m'éteindre. — Il dort —

. . . .

— Dors encor : la *Bête* est calmée,
File ton rêve jusqu'au bout...
Mon Pauvre !... la fumée est tout.
— S'il est vrai que tout est fumée...

Paris. — Janvier.
Tristan Corbière

Mais c'est la pluie qui inspira Don Andrea. La pluie. Que n'ont-ils pas encore écrit sur la pluie.
Ô bruit doux de la pluie
Par terre est sur les toits !
Pour un cœur qui s'ennuie,
Ô le chant de la pluie !
Elle coule, elle est calme. Ils disent qu'elle est nourricière, vivifiante, ils disent qu'elle purifie parfois. C'est de l'eau. Des gouttes. Des larmes. Des perles. C'est tout ce qu'ils veulent. C'est dans la nuit, quand les autres dorment qu'on l'écoute, la pluie. Derrière les vitres, plein de fumée, Don Andrea l'écoutait, la pluie. C'est en l'écoutant qu'il l'écrivit. A Marsonnay sur l'Ouchon, dans son village, on l'appelle la *pleue*. La *pleue* : mot plus juste que *pluie*, moins agressif et d'un ton exact.

Coulis de pluie fluide luit   H
Coule nuit de feu follets   U
Pleue bleuie
Lui feu folie
File pleue de nuit folle   e
Ploie pleue bleuie pluie et
Pleue   u
L   e
U   H
I   e
O E   ſ
P   e
L   u

E U
E I
V
O
L

pleue

U
l L e
fleuve pluvieux
I v
l U
e
f

Pluie plus vieille pleut
sur l'herbe grasse

Après la pluie vient l'odeur de l'eau sur la terre qu'on ne sent plus à cause de la ville. Là où l'herbe n'est pas coupée c'est un air plus subtil –l'herbe coupée est enivrante- le vrai parfum de la pluie.

Au parfum de la pluie sortent les escargots qui sont de bien petites créatures, mal réputées, aux goûts pourtant très sûrs ; Anderson ne l'avait pas compris qui les rend casaniers, pleins de rancœur, et qui leur préfère la rose.

Après la pluie vient l'odeur de l'eau sur la terre et les escargots.

Route noire de goudron et luisante de pluie. Nuages qui s'éclaircissent de quelques rayons miel. Crépuscule gris plein d'eau et volatile.

Après la pluie.

17 Octobre 1991, nuit.

Chère Madame,
Je vois bien que mon livre tombe en quenouille, il devient merveilleusement rhapsodique ! Hélas, je ne peux me résoudre à suivre vos conseils : il y tomberait une seconde fois.
J'ai pris bonne note de vos réprimandes, j'en ferai quelque-chose si j'ai le temps. Je crains fort de ne pas avoir le temps... C'est peut-être un peu aussi que je m'en fiche.
Je conçois bien que je n'énonce pas toujours clairement (les mots pour le dire vous sont venus très aisément). Ce n'est pas très clair, je le veux. C'est *confus* ? Point du tout ! ~~Confus~~ ! Rayez cela de vos papiers ! Il n'y a rien de moins confus qu'une rhapsodie : tout le décorum en est exempt, il ne reste que l'essentiel ! Toutes ces transitions qui sont inutiles, flop ! Toutes ces descriptions et ces détails dont on n'a plus besoin aujourd'hui, flop ! Toutes ces pages bien remplies, ces titres, ces postfaces, ces dédicaces, ces remerciements, flop !
Pas de postface, jamais ! Pas pour une rhapsodie !
Les titres, il y en a déjà un petit et quelques notations... Certains n'en ont pas du tout, ils ne s'en portent que mieux !
Remerciements ? Hé ! Je n'ai même pas dit « s'il vous plaît » !
Est-ce qu'on dit encore « s'il vous plaît » ?
Une dédicace ? Les gens pour qui j'écris savent bien que j'écris pour eux, et je suis le principal concerné...
Non, vraiment Madame, si je vous écris ce billet, que le porteur de Don Andrea va vous porter d'ici quelques minutes, c'est que

la rupture est consommée entre nous… Ah ! Je le regrette ! Plus que vous, croyez-le (faiblesse de la ponctuation : je voulais mettre une virgule ou moins encore ci-après et je dois mettre ce point bien trop imprimé). Mais je refuse votre mot ~~*confus*~~ !

Ne nous écrivons plus ! C’est assez.
Adieu.

Yy

Ma mère,

Je profite de ce que j'ai trouvé refuge dans une auberge pour vous écrire cette lettre, je crois qu'elle vous comblera. Je la confierai au porteur dès qu'il sera rentré.
J'ai vécu quelques belles aventures déjà et j'ai accompli des actes dont vous pourrez être fière, je pense en retirer une gloire des plus étincelantes sur laquelle je pourrai me reposer jusqu'à la fin de mes jours. Je rencontrerai d'ailleurs bientôt le célèbre Quixada afin qu'il me convainque définitivement de rentrer.
Mais ne parlons pas trop de cela ; c'est à mon écrivain de décider, et si je parlais trop haut ou trop longuement il pourrait se douter de quelque-chose, il finirait, j'en suis sûr par se méfier de moi et je mourrais sur-le-champ dans d'atroces souffrances (c'est ce qui serait arrivé à un certain Eneastel d'un livre voisin dont j'ai entendu parler).
Vous l'aurez compris, je rentrerai bientôt avec de nombreux exploits à vous conter. Prenez votre mal en patience ma mère, je reviens vite.
Je vous envoie mille autres baisers, ils tiennent à peine sur mon papier.

Rhapsodie Classique sur une clef de Fa

Il part à même le sol sur des pieds et des jambes sur un chemin
qu'il prend à rebours
il le prend un peu à l'envers
comme il revient d'une aventure poétique il ne fait pas de bruit
les crapauds l'entendent ils sortent le nez de leurs fossés de
leurs cleus avec la tête haute
le menton haut haut la gorge gonflée le torse haut bien droit les
crapauds
c'est un signe de reconnaissance et un hommage au héros de
poésie qui s'en revient
qui s'en est retourné
deux rangs de crapauds silencieux de chaque côté la haie
d'honneur
pas un *coax coax* et pas de *brekekekex*
ces crapauds-là ne sont pas grecs ni français ni francophones
ils parlent le crapaud et sont des statues de marbre
ce sont des vestiges ces crapauds des pierres précieuses du
passé qui préfèrent ne plus dire et qui se sont inventé une
langue à eux pour faire une sphère avec leur secte
crapauds linguistes latinistes hellénistes
il y en a un qui saute
ce crapaud-là c'est plus ou moins moi ?
un qui saute et les autres suivent
des volées de crapauds des armées des océans de crapauds
c'est une plaie d'Egypte digne des Chimères
on n'en a jamais vu de comme ça des brassées pleines de
crapauds qui se bondissent les uns sur les autres et qui

s'écrasent noblement sans rien dire pour former l'escorte royale
du héros
héros rime à crapaud
poète rime à crapaud et les mots
faux.
C'est bien Don Andrea en chef de bande escorté le ci-devant le
magicien aux crapauds
et qui marche tout droit sans se soucier
ni de sa mère ni de sa mie ni du petit porteur
le chemin est trop droit c'est folie si droit pour un chemin
il n'a pas vraiment de bout de fin
juste la scène où les crapauds sont là où est leur place et
coassent encore un peu dans leur gorge.

dire que c'est triste
non
voyage de retour toujours plus long que l'aller avec un paysage
peint avec le temps comprimé de l'aller
retour = paysage qui change et paysage qu'il faut écrire : reste

cette obscure clarté qui tombe des étoiles
pas vraiment on en reparlera des étoiles et des points qui
scintillent
voyez comme c'est du vrai vers
jusque là

les crapauds et les grenouilles vivent en individus individuels
absolument dépolitiqués qui ne souffrent aucun gouvernement
pas même surtout pas celui du peuple
bon roi Grue bon roi Soliveau
crapauds ! vous n'aurez pas nos os
les crapauds sont toujours battus

Rhapsodie Classique sur une clef de Fa

(les rats les grues les rondins)
ils sont gens de boue debout
le front haut malgré la gouille
chantant les muses-grenouilles

les crapauds demandent un roi
je leur donne Don Andrea
en m'attendant

Don Andrea pris dans une noirceur ténébreuse de sombre obscurité
ne croyez pas qu'ils l'abandonneront les crapauds et surtout pas le crapaud buffle des flammèches le plus ardent de tous celui-là qui ira tout au bout avec force de soupirs et force et soupirs et plein de temps et voilà et qu'on en parle plus qu'il dit
il est un peu pris dans le feu bleu de la terre Don Andrea mais les crapauds verts font des lanternes des lames d'émeraude sur le châssis d'encre noire
il a peut-être peur et il leur dit bonjour mes amis crapauds et il fait de grandes déclarations avec du vrai amour dedans et que les crapauds n'entendent pas mais lui ça le rassure ça fait un peu passer l'obscurité qui se délave
elle fait moins peur quand elle se délave même si elle est sale l'obscurité
ils la délavent les crapauds et ensuite ils la recolorent pour ceux qui ont les yeux fermés
c'est comme ça qu'on ne la voit plus parce que les crapauds vous mettent des couleurs derrière les yeux qui font un petit cocon et un écran

faisons notre promenade ensemble et prenons nous par le bras

tenez vieille dame je vous donne le bras vous le prenez on se saisit sans s'appuyer
et je vous porte en vous effleurant
prenez belle madame Berthe la plume sur le bout de votre langue et soufflez qu'elle ne vous embête plus
nous irons quelque part bonne vieille madame Berthe et je vous montrerai un peu ce qu'est mon pays avec sa terre au sol et sa terre en l'air.

Il n'y a que les crapauds qui savent ce que sont les crapauds
crapauds crapauds crapauds crapaud crapaud crapaud-buffle
c'en est rempli que ça en déborde jusqu'au ciel et que ça vous recouvre tout
pasodoble
des bêtes pensantes
il n'y a plus rien de bacchant de fureur et plus rien de féminin il n'y a plus d'homme
ils en ont raconté de ces contes de fées
des histoires furieuses qui font les hantises
les civils ont disparu dans les pages blanches
blanchies à la chaux vive vive l'empereur

il faut croire que la poésie appelle la poésie et qu'elle est un peu partout
elle s'immisce même dans ce qui n'est pas un livre et je n'y peux rien rien à faire se débattre est inutile vain vaniteuse vanité que d'aller contre la poésie
art poésie
l'espace et le temps pour un trait blanc dont j'ai fait un chemin
chemin de rien du tout tout blanc tout vide avec dessus qu'un drôle de bonhomme qui a de l'allure et des crapauds sur sa chemise

de l'Utrillo dans ce passage de cailloux où il n'y a personne
il marche tout seul Don Andrea et c'est quelque-chose d'une
ascension parce qu'ils le poussent
chemin-asile lange d'Utrillo l'aliéné
lange acérée de pierres acérées avec du métal froid milliard
d'aiguilles lange
l'ange porteur de flèches et de flammes pour les saintes qu'on
immole et qui s'envolent de l'esprit dans un cri et dans la fumée
qu'elles poussent de l'âme les yeux blancs
les anges sont un milliard d'aiguilles pour l'aliéné sur mon
chemin-asile
vers liturgique trouble de l'esprit

les mazagrans fumèrent dans les estaminets
rien du muezzin ou du minaret
bien sûr que les muezzins fumèrent

avez-vous lu des poètes
non
lesquels
bonnefoy cadiot jaccottet goffette michaux tzara hocquard
roubaud noel schehadé meschonnic follain char quelques autres
encore
mais je n'en ai rien pensé je ne les ai pas pensés
j'ai été pensé par eux
j'étais devant être pensé
par eux

ils parlent de votre poésie comme d'une mise en abyme de votre acte d'écrire à travers l'expression d'un « je » qui se laisse volontiers aller à l'anthorisme, comme si vous vous amendiez de votre dire

il faut passer par quelques paysages avant de rejoindre l'irréel
d'une fin d'histoire
couloir du retour antichambre
sas d'acclimatation
quarantaine prophylactique
Don Andrea qui ne fait que s'approcher piqué par l'aiguillon
faire avancer le veau lent
création ex nihilo extraite de la ville de disparaitre et on
reconstruit tout un univers meilleur à partir du noir autour
création que croire
créer croire tout de krinein parce qu'on passe le monde au tamis
de l'œil et du cerveau qui sont deux dans le peintre (ici il cite
Cézanne)
je m'efforcerai d'y croire
y : une seule lettre neutre et chargée grecque en plus dans
laquelle je suis
y : pour la poésie

Vous en avez sur le chemin qui passent dans l'autre sens. Ce sont des personnages d'encre et qui vont droit vers Nostos-Algos ; des ibères sans doute : c'est un nom qui sonne hispanique... Comment s'appellent-ils ?
_Ulysse...

On a vu plus castillan... Sans aller chercher encore le courtaud Sancho, on a vu plus castillan ! Un autre ?
_Josef...

C'est le comble ! Un Praguois ! Et vous vouliez me le faire passer pour castillan, catalan, que sais-je ! Allez donc, ignorants ! Point de nostalgie chez moi !

Je ne suis jamais parti nulle part.

Entre le chemin du retour qui vous dure un temps ! mais un temps ! et le moment où l'on se retrouve bien chez soi, à sa place, dans son cocon douillet, se déroule une période souvent courte mais qui peut n'avoir jamais de fin –c'est alors une damnation – où l'on n'est ni chez soi ni ailleurs, bien dans son endroit, là où ce devrait être « chez soi » mais où tout est encore en suspens. On importune le mobilier, il ne nous attendait pas et, à vrai dire, il se trouve un peu offusqué qu'on rentre ainsi sans prévenir, comme dans notre moulin, alors qu'après tout ce temps qu'on a passé ailleurs, ce n'est plus un pays conquis. L'endroit fait sa donzelle, il prend de la hauteur : « qui est donc cet étranger » qu'il dit, « ah oui ? eh bien, il va falloir faire mieux que ça ! »

Rien de plus déroutant que ce moment qui vous désespère : alors qu'on croyait venue l'heure du repos du guerrier, qu'on s'attendait à retrouver le *comfort* (comme ils écrivent tous) et qu'on était en droit d'espérer un peu de répit, on se retrouve étranger de partout puisqu'on l'est même de ce qui devrait être chez soi. Apatride pour une période à durée indéterminée. Ça vous mine. Ça me mine en tout cas et si j'étais personnage d'œuvre littéraire, ça me minerait aussi ! Si l'on ne fait pas attention à sa propre odeur quand on est là quotidiennement, on se rend bien compte qu'il y en a une autre quand on est parti trop longtemps. Pareil pour sa petite chaleur.

Vraiment, c'est un temps désagréable. Voilà pourquoi je ne voyage jamais. C'est une des raisons.

Il est étonnant de constater à quel point le sentiment de Don Andrea fut semblable lorsqu'il se retrouva dans son village, plus encore lorsqu'il franchit la porte de sa maison et qu'il posa la main sur la table en bois de la cuisine.

L'accueil qui lui avait été réservé au village s'était révélé plutôt froid... En fait... En fait on ne lui avait pas vraiment réservé d'accueil. Son retour, tout le monde s'en fichait assez pour cette bonne raison que personne n'avait seulement remarqué son départ. Au mieux, quelque commère aurait eu vent de l'affaire à l'occasion d'un café chez la mère d'Andrea. Remarquez comme j'use intelligemment de ce conditionnel balzacien par lequel je ne renie pas toute filiation avec ce roman que je déteste tant. Mais passons, je me laisse facilement emporter, il est vrai, et j'ai déjà beaucoup trop digressé dans cette histoire. Je suis un piètre conteur, c'est vrai. Mes histoires, personne n'arrive jamais à les suivre jusqu'au bout ! C'est que les gens sont aussi distraits que moi... Comme je n'écoute qu'à moitié ce que je raconte, et qu'on n'écoute qu'à moitié ce que je raconte, dans les moments où tout le monde décroche c'est la débandade. Voyez comme je m'égare encore !

Don Andrea, qui avait attendu une fanfare et un discours du bourgmestre, tomba sur une chaise et s'écroula sur la table. Il trainait ses doigts dans la poussière qui s'était accumulée. De la poussière ? Sur la table ? Avec la mère et ses mains toujours pleines de chiffons ? Et point d'odeur de soupe, de ragoût ou de tarte ! Et point d'mère dans la cuisine ou dans la maison, avec la bicyclette en devant contre l'mur. Al'to meue.

Don Andrea resta longtemps à table. C'est un bon début. Il fit le tour de la maison. Il le fit une seconde fois. Il sortit pour savoir ce qui c'était passé. Personne ne voulait trop rien dire et sans doute que personne ne savait vraiment ce qui s'était passé. Comme toujours quand on ne sait pas, que personne ne sait et qu'on veut savoir, on alla voir Berthe la Fileuse. C'est elle qui a les réponses aux histoires. Pas besoin de la chercher quand vous êtes héros de roman, il suffit de s'asseoir à sa table où il n'y a personne que soi, dans une maison où il n'y a personne que soi, et d'attendre. L'attente est parfois longue mais ça vaut la peine.

Elle entra sans frapper, posa son sac et sa canne comme si elle s'était trouvée chez elle et puis s'assit à la place de la mère. Elle se mit à raconter tout ce qu'on voulait savoir sans qu'on ait besoin de rien demander. C'est le don des vrais voyants, ils savent ce que vous allez leur demander et ils répondent avant que vous y pensiez.

La mère était morte quelques jours auparavant, en même temps que la mie. Les deux femmes enlevées aux enfers. L'une très jeune, l'autre très vieille, mais c'était moins pour leur âge que pour Don Andrea qu'on les avait enlevées. La vie de héros est dure et l'on y perd souvent les siens. On ne pouvait pas y faire grand-chose, c'était écrit tout là-haut dans le grand livre comme dit Jacques, dans le grand livre qui est tout là-haut dans la tête de l'écrivain. C'était prévu qu'il rentrerait trop tard et que ces deux femmes, l'une vraie, l'autre fausse, allaient mourir juste avant. Il serait rentré une semaine plus tôt que ça n'aurait rien changé, elles seraient toujours mortes avant. C'est la dure loi des œuvres littéraires, on ne choisit rien. Le lecteur est un personnage comme un autre et l'auteur est Dieu. Voilà pourquoi chacun doit écrire ses œuvres. Pour être Dieu. Et celui-là qui est Dieu fait le monde comme il lui plaît.

Don Andrea renvoya la Berthe et lui offrit des gâteaux secs qui traînaient dans une boîte en fer avec une bouteille de limonade, en verre la bouteille. Pour être secs, ils étaient secs les gâteaux. La Berthe reprit sa canne et son sac, serra son fichu sur sa tête et partit le long du chemin.

Andrea fit plusieurs fois le tour de la maison, il allait au grenier, passait par la grange, rentrait à la cuisine, montait à l'étage et redescendait. Il n'était pas chez lui. Il se mit en tête de descendre aux enfers comme les grands héros antiques qui en reviennent toujours. Il était héros lui aussi, il se débrouillerait bien pour en revenir sans trop de mal et pour ramener sa mère et sa mie. Il se rappela l'histoire d'Orphée et Eurydice qui est très connue dans son village parce que Nathaniel Hawthorne, qui compte dans le *Livre des Merveilles* l'histoire de Philémon et Baucis, vint y finir ses jours et qu'entre Orphée et Eurydice d'un côté, Philémon et Baucis de l'autre, à la campagne on ne fait pas bien la différence. Mais passons sur cette explication hasardeuse. Toujours est-il qu'il se rappela l'histoire d'Orphée et Eurydice. Il finit par se dire que puisqu'il ne jouait pas de la lyre, qu'il ne savait pas chanter et qu'il n'était point poète, il n'aurait pas tant de soucis.

Et il se lança à la recherche d'une porte des enfers sachant qu'il trouverait bien vite parce que ces portes fourmillent dans la région : vous ne pouvez pas faire deux pas sans finir avec un pied aux enfers.

Les entrées des enfers sont des arches fabuleuses. Il faut les peindre avec minutie, le moindre trait qui cloche et c'est fichu : la porte est close, elle ne s'ouvre jamais. Il faut du beau, qui rend l'imaginaire réel, pour faire un peu d'art et faire ouvrir la porte.

Il n'existe pas d'artiste assez infaillible pour peindre une telle porte, c'est pour ça que j'en ai créé un. On crée plus facilement l'artiste que l'œuvre. Et celui-ci n'a pas d'égal dans le domaine de la magie.

Chaïm est venu ce matin, quand tous, vous et moi, nous dormions, peindre la porte des enfers, pour que le livre soit comme il doit être.

Pas la peine de chercher vraiment. A marcher loin des villes on finit toujours par tomber sur une entrée des enfers. Partout vous en avez : des coins plus sombres et qui vous laissent une drôle d'impression. Le bois du diable. Le trou du diable. Le puits du diable. Des chemins qui s'enfoncent sous la terre...

Il y en a tant. Il faut presque choisir. L'un est un peu étroit, l'autre trop escarpé ; autant attendre. Trouver le bon.

Don Andrea se retrouve devant un lac. Il tombe sur. C'en est une.

Le lac est une eau stagnante. Elle frissonne un peu, on croit que c'est le vent mais elle frémit d'en-dessous où quelque-chose gronde. Un lac sans oiseaux, sans batraciens, sans rats, sans cancrelats. Trop calme : on se méfie. Il y a quelque-chose de lourd qui flotte au-dessus de l'eau. Quelque-chose de plus lourd encore qui pousse au-dessous. Les eaux sont noires. Déjà vers les rives où il y a peu de fond. Au centre c'est une obscurité brune, très épaisse : on ne sait pas bien si c'est du vide, du haut-fond, de la vase, une bête. Voilà le piège : on ne sait pas. Ça attire les curieux. Les berges ne sont pas abruptes, ce sont des plages qui s'enfoncent doucement, on ne sent pas l'eau monter. A la taille on ne peut plus sortir.

Autant passer par là ; pas de risque de tomber ou de se tordre une cheville. L'eau est à température exactement corporelle. Des bestioles se faufilent et prennent la fuite. Sûrement des poissons. Un coin à carpes.

L'eau comme force maléfique et comme point de passage.

Porte.

Aspiration dans la vase au centre. Par le bas, comme des mains qui attrapent.

Mort.

Au-dessous l'enfer ; un immense escalier en colimaçon qui descend. Ensuite il n'y a plus de murs : c'est une grotte souterraine de la taille d'un petit continent. La descente est un peu longue ; on pourrait peut-être sauter. Que se passerait-il ? La mort ? Encore ? Où peut-être qu'il y aurait un autre enfer en-dessous. Où peut-être qu'on ne pourrait pas tomber. Ah ! Enfin en bas !

Une jolie rive cette fois : berge rocailleuse, des crevasses et un sol anthracite-violet. Le fleuve violent est plein d'un fluide visqueux, d'un vert fluorescent, teinté de jaune. Très belles couleurs. Roseaux sur la rive dans lesquels il y a un enfant. L'enfant attend le passeur. Le passeur transporte les morts un par un qui ont de quoi payer, sur ses épaules, depuis qu'il a perdu sa barque. Sa barque a coulé à cause d'un orphelin sans prénom nommé Yves Bonnefoy. C'est un très beau passage.

Sur la rive il y a des files et des files d'individus faiblards, maigrichons, des chiens aussi, ils n'ont que la peau sur les os, les chiens. Les hommes et les femmes sont longs, tordus, ils se tiennent la tête dans les mains, ils ont des yeux où coule au lieu de sang l'eau verte du Léthé, ils crient. Skrik, des milliers de fois.

Don Andrea ne doute pas qu'il passera vite : c'est un héros de littérature, il sait que son écrivain n'attendra pas mille pages. Il pourrait bien se tromper. Mais il a besoin de deux pièces, une pour l'aller, une pour le retour. Il n'a pas d'argent mais les boucles de ses bottes devraient faire l'affaire. Le passeur ne verra rien avec la tête dans l'eau. Ah ! Ça ira ! ça ira ! ça ira !

La traversée est étrangement calme, le fleuve avait l'air tumultueux. Il n'en est rien. Le fluide vert on en a jusqu'aux genoux sur les épaules du passeur ; c'est une eau très liquide en fait, à peine trop chaude et piquante ; on pourrait sûrement y pêcher.

L'autre rive.

Voilà l'enfer. Le vrai. De l'autre côté du fleuve. C'est un immense palais d'or et de bronze. Des colonnes de pierre noire s'élèvent et forment des moitiés d'arches, elles sont rongées, cyclopéennes. Des morceaux d'or incrustés dans la pierre ; ce n'est pas un travail d'orfèvre, mais celui de la nature. On n'a rien touché. Des portes colossales, des tours, des murailles, comme une cité entièrement fortifiée embrassée par la roche. Temple avalé par la terre qui émerge à peine.

Des allées hérissées de pics et des danseuses harpies aux ailes de succubes, aux cheveux violets. Elles forment un cortège qui s'envole au-dessus des ballets de squelettes qui portent des épaulettes dorées, et des instruments. Les cuivres. Squelettes fanfarons.

La terre sous leurs pieds tremble, elle craque, des morceaux jaillissent et des fossés se creusent, des précipices, des crevasses et des éclats de colonnes qui s'enfoncent dans les parois, des stalagmites percent le sol.

Déchaînement de la descente et de la montée, de la roche et du palais. L'enfer éclate en concerto. Andante. Accueil du héros par le mouvement du luxe éblouissant de Dis, le faste du riche magnat. Ploutos.

Légende n°2 : Saint François de Paule marchant sur les flots
Liszt

Soudain silence.

Silence –soudain.

Entrée de Pluton côté jardin, grand, majestueux, des yeux safran, blancs, monstrueux. Il porte un grand manteau, déchiré par les cornes qui lui ont poussé dans le dos, déchiré et brodé de fin liserés d'or, incrusté même de pierreries rouges, des rubis et de l'ambre. Il a le teint terreux, mais d'une vraie couleur de terre, un peu brun, un peu brique, un peu noir. La peau comme une écorce mais de grandes mains, très grandes, de longs doigts, des bagues et des chevalières, d'or et de bronze serties de pierres vertes ou grises. Une immense créature divine voûtée, aux épaules puissantes. C'est de son nom, Tertius, que l'on tire *Le Tiers de la Terre*.

Entrent autour de lui, qui grouillent comme des créatures rampantes, des esclaves nus et maigres à la peau grise et malade, ils portent des rameaux de cyprès et ils éventent leur maître qui a toujours trop chaud. Ils le font mal, ils sont misérables. Ploutos leur arrache leurs rameaux et les flagelle, il leur marque la peau. Ils s'enfuient comme des rats, à genoux, en rampant. Le monstre Pluton.

Don Andrea n'écoute que son courage. Il gonfle le torse et lève le menton. Sa main cherche la garde de l'épée à sa ceinture. Il n'a pas d'épée. Au diable ! Il se rue sur l'ennemi, le contourne et se jette sur son dos, entre deux cornes, il lui monte sur les épaules et lui saisit le crâne.

Le monstre passe son bras derrière sa nuque et soulève Don Andrea, par la chemise, entre deux doigts, et il le repose à terre, devant lui. Alors pour le punir il lui colle une pichenette des deux mêmes doigts, et Don Andrea tombe sur les fesses.
_Mon cher ami, bienvenue aux enfers ! *Il le soulève encore par la chemise et le remet sur ses pieds.* Don Andrea n'est-il pas ? Oui. Oui. On m'a prévenu de ton arrivée. On me dit que tu viens chercher ta mère et ta mie, n'est-il pas ? Oui. Eh bien ! Viens avec moi, je vais te faire visiter un peu les lieux. *Il lui met une petite tape dans le dos qui fait plier et tousser Don Andrea.*
_Je refuse de visiter, monstre ! Je viens récupérer ma mère ! Je suis prêt à me battre, en garde !
_Allons, allons ! Du calme mon bonhomme ! Je te conduis à elle. Et ne sois pas si belliqueux. Marchons un peu. *Une seconde tape, Don Andrea manque de tomber.* Vois-tu, les enfers se divisent en cercles, neuf exactement, le neuvième étant le plus profond...
_Oui, oui, je sais tout ça, j'ai lu *La Comédie*, je sais comment ça fonctionne, emmenez-moi voir ma mère, tout de suite !
_Maudits soient ces poètes ! Ils nous prennent toutes nos histoires, les rendent célèbres et nous n'avons plus rien à raconter ! A la fin il n'y aura plus de livres et nous raconterons de plus belle ! Bien, puisque c'est ainsi je vais te mener à tes femmes et te faire économiser de précieuses pages ! Mais pour m'avoir offensé, moi, le dieu souterrain des enfers qui règne sur les mondes inférieurs, moi, le maître de la mort et des lois de l'univers, moi, l'ultime rédempteur, seigneur des âmes immortelles, tu ne pourras repartir qu'avec un seul des êtres que tu chéris et le second sera condamné à tout jamais dans les flammes de mon royaume, soumis au supplice et à la souffrance, pour les siècles des siècles. Vois ces deux femmes, héros, prêtes

à tomber dans les profondeurs abyssales de l'oubli ! Vois et fais ton choix, une seule pourra repartir avec toi ! Et souviens-toi que nul ne saurait offenser impunément le dieu souterrain des enfers qui règne sur les mondes inférieurs, le maître de la mort et des lois de l'univers, l'ultime rédempteur, seigneur des âmes immortelles !

Elles sont deux femmes –la mère et la mie- avec un nœud fait aux chevilles, la tête en bas, et au-dessous bouillonne un fleuve magmatique. Don Andrea lève les yeux vers elles, il réfléchit. On ne peut pas vraiment réfléchir à ce choix. Il pense et se rappelle, il ne réfléchit pas. On ne peut pas faire de choix. Pluton s'amuse beaucoup. Il envoie des harpies qui tirent les cheveux des deux femmes, qui les mordent et déchirent leurs vêtements. Les squelettes, sur la falaise, derrière Don Andrea, jouent des musiques mexicaines.

Rhapsodie Classique sur une clef de Fa

La mère - Enfin, mon fils, enfin, tu viens sauver ta mère
Vite, emporte mon âme dans ce balsamaire
Ramène-moi chez nous, dans notre Marsonnay,
Quitte ton écrivain et oublie ces sonnets !

La mie - Non, non, mon doux ami, choisissez-moi plutôt
Laissez là votre mère qui fait bien trois quintaux.
Choisissez votre mie si fine, si légère
Qui vous servira bien plus que l'autre mégère !

La mère - Elle se plaint de toi du soir jusqu'au matin,
Et de ta mère aussi, jette cette catin !
Allons, mon fils, allons, ne sois pas timoré
Ta mère vaut bien mieux que cette mijaurée !

La mie - Fi de la vieille cagne elle en a pour un an.
Elle critique tout pour un oui pour un nan.
Serre-moi dans tes bras tu me feras plaisir
Et je comblerai le moindre de tes désirs...

La mère - N'écoute pas, mon fils, ce n'est qu'une intrigante
Malpolie, rustre, grossière et arrogante.
Choisis-moi, mon poussin, et laisse ta jubarte,
Maman te bordera et te fera des tartes.

Odieuse limace, rat de caniveau !
Elle fera de toi, mon fils, un soliveau !

Tu n’es qu’une roulure, un membre gangréné,
Une fille de joie, rien moins qu’une trainée !

La mie - J’ai, moi, des sucreries, d’une toute autre sorte.
Allez, n’y pense plus, ta mère est un cloporte
Et moi je suis ta mie, belle fée du logis
Et nous ferons tous deux, le soir, à la bougie…

Vieille carne pelée, sorcière dégoutante,
Moribonde, tas d’os, baleine rebutante,
Rapace vérolé, infernale magote,
Ulcère chancreux, carnassier, fieffée bigote !

La mère - Cette fois c’est assez ! Me faire insulter par cette grosse gidouille pleine comme un tonneau alors que je l’ai moi-même inventée pour faire revenir mon fils ! Au diable, rat de fumier ! Reste-t’en pendre là comme une andouille que t’es !

La mie - C’est pas une vieille morue séchée, qui sait même pas qui c’est l’père de son p’tiot qui va venir me donner des leçons ! J’aimions mieux être une andouille qu’un vieux croûton d’pain rassis foutu que d’croûte !

La mère - Foutu caillon ! Brougna d’cochon…

Don Andrea et Pluton se sont assis sur le bord. Ils n’écoutent plus vraiment. Ils jettent des cailloux dans la lave et espèrent que ça s’arrêtera bientôt. Un long moment passe et rien ne change. Don Andrea se lève, bien décidé et fait part de sa décision au seigneur des enfers. L’autre est à genoux et le supplie de revenir sur sa décision.

Don Andrea - Laissons l'enfer où il se trouve ! Gardez-les donc les deux et prenez bien du plaisir mon bon Pluton !

Pluton - Pitié, soyez un vrai héros, prenez-en au moins une ! Rien qu'une...

Don Andrea - Adieu mon ami.

18 Octobre 1991, matin.

Chère Madame,
Mon livre touche à sa fin, je n'y ajouterai plus que quelques pages et vous les trouverez sans doute fort inutiles. J'adjoindrai enfin un petit feuillet de supplément qui ne vous est pas destiné et je vous prie de bien vouloir accepter de ne pas le lire.
Ce livre ne vous a pas plu, vous me l'avez assez répété, c'est tant mieux ! Un livre qui plait c'est toujours mauvais signe, c'est qu'il ne bouscule pas assez les habitudes. Rien de plus mauvais que le confort en art. Mais l'art ne vous concerne pas.
Je vous dis adieu, chère madame, car je vous quitte avec ce livre auquel vous appartenez désormais. Vous me manquerez peu mais vous me manquerez.
N'était-ce pas là un bel alexandrin ? C'est que j'en mets partout.

En espérant vous avoir quelque peu divertie, Dieu vous préserve, chère madame, sans m'oubliez cependant.
A vous.

Gy

Don Andrea s'en retourne chez lui, dans sa maison où il vit paisiblement, loin de tout. Il est temps pour lui que ce voyage s'arrête, il est fatigué, il aimerait pouvoir enfin s'asseoir dans un fauteuil et écrire pour raconter son histoire ; ça, je le ferai pour lui.

Moi aussi je suis fatigué. N'est-ce pas le plus beau des hasards que tous, ensemble, héros, narrateur et écrivain, nous voulions nous asseoir un moment et qu'à la page suivante l'histoire s'achève ?

Il passe son temps assis à la table de la cuisine Don Andrea, une table en bois avec des marques de couteau, elle est d'un brun très gris parce que la lumière des matins où il y a du brouillard la ternit, elle entre par la fenêtre – la fenêtre est ouverte, on la laisse rentrer. De temps en temps la Berthe vient, qui porte ses confitures dans un panier, elle passe dire bonjour et boit de la limonade. Elle prend des nouvelles de l'histoire : comment ça avance ? comment ça va s'appeler ? est-ce qu'on parlera d'elle ? Elle voudrait bien qu'il y ait un nom un peu plus précis, un peu plus facile à dire… Hé ! Elle est imaginaire mais pas moins angoissée que les autres ! Il faut qu'elle nomme. Il faut que rien n'échappe. Tant pis. Il y a surtout Pluton, appelez-le comme vous voulez, qui vient tous les jours. Il est très fatigué le pauvre, vous verriez ses yeux ! Il s'écroule sur la chaise en face de Don Andrea, puis il s'écroule sur la table. Il larmoie. Et il raconte ce que les deux harpies que notre héros lui a laissées ont encore fait comme coup pendable… Des vertes et des pas mûres ! Des personnages tout de même ! Enfin, lui aussi ça lui fait du bien de raconter. C'est fou ce que les gens racontent. C'est que ça fait tant de bien.

Comme chacun est conscient de l'existence de l'autre, nous avons longtemps discuté, avec Andrea, de la fin du livre. Le début était écrit. J'ai cru un moment qu'il faudrait le faire repartir avec sa mie et mourir tout de même. Il se serait noyé en sortant par le lac, il n'aurait peut-être même pas atteint la sortie des enfers. C'est comme ça dans la mythologie, le personnage fait toujours une petite bêtise et il paie le prix fort. Il n'a jamais voulu se résoudre à mourir ! Encore moins à partir avec une de ces radoteuses... Alors il n'est pas mort. Je n'allais pas l'obliger quand même.

On s'est surtout demandé comment terminer le livre. Fallait-il clore sur une phrase musicale. Sur ce point nous nous sommes mis d'accord et avons préféré conclure sur un silence. C'est de la musique aussi, seulement il n'est pas besoin de la noter. Ça ne se note pas, un silence. C'est un possible futur.

FEUILLET SUPPLEMENTAIRE

Sur une rencontre avec l’écrivain qui n’a jamais eu lieu.

Don Andrea –	Que faites-vous ?
L'écrivain –	J'écris.
Don Andrea –	Qu'écrivez-vous ?
L'écrivain –	Des mots.
Don Andrea –	Sans ordre ?
L'écrivain –	Dans l'ordre qu'il faut.
Don Andrea –	Vous écrivez, Monsieur, à l'encre noire Et sur un noir papier…
L'écrivain –	Alors ?
Don Andrea –	On ne voit rien !
L'écrivain –	Oui, mais quelle importance ?
Don Andrea –	Ce me semble évident : on ne peut pas vous lire…
L'écrivain –	Peu m'importe, j'écris, je crée des œuvres d'art, L'œuvre ne se lit pas mais elle vous saisit.
Don Andrea –	Elle ne saisit rien : la vôtre est invisible.
L'écrivain –	Qu'importe qu'on la voie, il suffit qu'elle existe ! L'œuvre est là, je le sais, le reste est décorum. Je n'écris pas pour vous, ni pour moi, mais pour l'art Et l'art se reconnaît : c'est du noir sur du noir, Oui, mais ce n'est pas rien

L'art est là, je l'ai fait
Et voilà qui est bien !

*

_Monsieur l'écrivain, même si je ne suis pas un spécialiste de la littérature, que je connais mal ma grammaire, il me semble que votre écriture est pleine de fautes d'orthographe, et la syntaxe même me semble douteuse...

_Vous z'êtes bien n'un bonhomme du granpublic vous ! Vous z'avez lu quatre livres, vous parlez sur une centaine et vous prenez tout ce qu'a dit Conrad de Hirsau pour parole d'évangile parce que « grammairien du XIème siècle », ça fait quand même bien. Vous connaissez pas la gra'mère ? C'est bien dommage, c'est vous qui la faites ! C'est la masse des z'imbéciles qui fait la langue, en la maniant grossièrement. C'est des Gnathons qui décident et qui font leur tambouille. Je les empêche pas, moi, d'inventer des mots, de choisir ce qu'ils ont le droit de dire ou non... Vous me permettrez bien de faire ma Tambouille. Au moins, je sais pourquoi je la fais, moi. Ce n'est ni par ignorance, ni par fainéantise, moi.

[o djø z imɔʀtɛl ki ave kɔ̃fje o z ɔm la lɑ̃g e la gʀamɛʀ kə nə le z ave vu fɛ z aʀtist ? vwaje kɔm ʒ ekʀi də mo z ynivɛʀsɛl kə ʃakœ̃ pø liʀ e ɑ̃tɑ̃dʀ. mwɛ̃ ɑ̃tɑ̃dʀ k ekute kaʀ sɛ də la pɔezi myzikal ki sə s ekutə. le mo sɔ̃ t yn myzik. ekute z odəla. sɛ də la pɔezi ɛ də l aʀ]

[

]

_Eh ! J'ai peine à vous lire… Déjà vous écriviez noir sur du noir et maintenant, sur blanc, vous n'écrivez plus du tout…

_Oh ! Yes I do ! Don't you see these seven lines ? But it's true they aren't to be seen… However they are ! But I already told you… Can't you hear me ? You do literature with words, that's true, but you also do it with emptiness ! And people forget it. What is between words is not nothing. Don't you see ? I'm speaking another language but there is still space between words… When you're drawing, you play with emptiness, and writing is drawing. A letter is a picture. So literature is not language. The language has no importance. A poet can see and hear words. I mean, literature is not art if it's not to be seen or heard. That's why a poet who refuses to call what he's writing "poetry" is an artist. Writing is not art. I do make art : no poetries, no novels, no plays. But you don't understand, and that's why artists make art for artists.

_Je suis confus, Monsieur, mais je ne comprends pas l'anglais. Tout juste quelques mots qu'écrira Rimbaud d'ici quelques décennies : *mother* ou *comfort*… Mais vous semblez assez érudit. Pour cela je crois que je peux juger que vous n'êtes pas un écrivain médiocre. Me réciterez-vous un poème ? Un de Baudelaire ! Cet homme m'émeut comme aucun… C'est notre plus grand poète, ne croyez-vous pas ? Oh ! Un de Baudelaire, je vous en prie !

_ « Lalbatrossouventpoursamuseleshommesdéquipageprennent desalbatrosvastesoiseauxdesmersquisuiventindolentscompagno nsdevoyagelenavireglissantsurlesgouffresamersapeinelesontilsd

époséssurlesplanchesquecesroisdelazurmaladroitsethonteuxlais
sentpiteusementleursgrandesailesblanchescommedesavironstraî
neràcôtédeuxcevoyageurailécommeilestgaucheetveuleluinaguèr
esibeauquilestcomiqueetlaidlunagacesonbecavecunbrûlegueulel
autremimeenboitantlinfirmequivolaitlepoèteestsemblableauprin
cedesnuéesquihantelatempêteetseritdelarcherexilésurlesolaumi
lieudeshuéessesailesdegéantlempêchentdemarcher. »

_Sans vouloir vous offenser, vous récitez fort mal !

_Je récite comme c'est écrit ! Mais écoutez ceci :
« En m'esbatant je fais rondeaulx en rithme,
Et en rithmant bien souvent je m'enrime ;
Brief, c'est pitié d'entre nous rithmailleurs,
Car vous trouvez assez de rithme ailleurs,
Et quand vous plaist, mieulx que moi rithmassez.
Des biens avez et de la rime assez :
Mais moy, à tout ma rithme et ma rithmaille,
Je ne soustiens, dont je suis marry, maille.
Or ce me dit, un jour, quelque rithmart :
" Vien ça, marot, treuves-tu en rithme art
Qui serve aux gens, toy qui as rithmassé ?
- Ouy vrayment, respond-je, Henry Macé ;
Car vois-tu bien, la personne rithmante
Qui au jardin de son sens la rithme ente,
Si elle n'a des biens en rithmoyant,
Elle prendra plaisir en rithme oyant ;
Et m'est avis que, si je ne rithmoys,
Mon pauvre corps ne seroit nourry moys,
Ne demy jour : car la moindre rithmette
C'est le plaisir où fault que mon ris mette ".
Si vous supply qu'à ce jeune rithmeur

Faciez avoir un jour par sa rithme heur,
Affin qu'on die, en prose ou en rithmant :
" Ce rithmailleur qui s'alloit enrimant,
tant rithmassa, rithma et rithmonna,
Qu'il a congneu quel bien par rithme on a. " »

_Ma foi, le cœur y est... Mais je ne suis pas sûr de tout saisir.

_Et je suis sûr, moi, que vous ne saisissez rien. Tout est pourtant là. Déjà là. Bien, maintenant partez, j'ai beaucoup à écrire et je meurs peut-être bientôt. Cet entretien est déjà tout un recueil que je vous lègue. Partez, et faites-moi le plaisir de ne jamais revenir. Adieu.

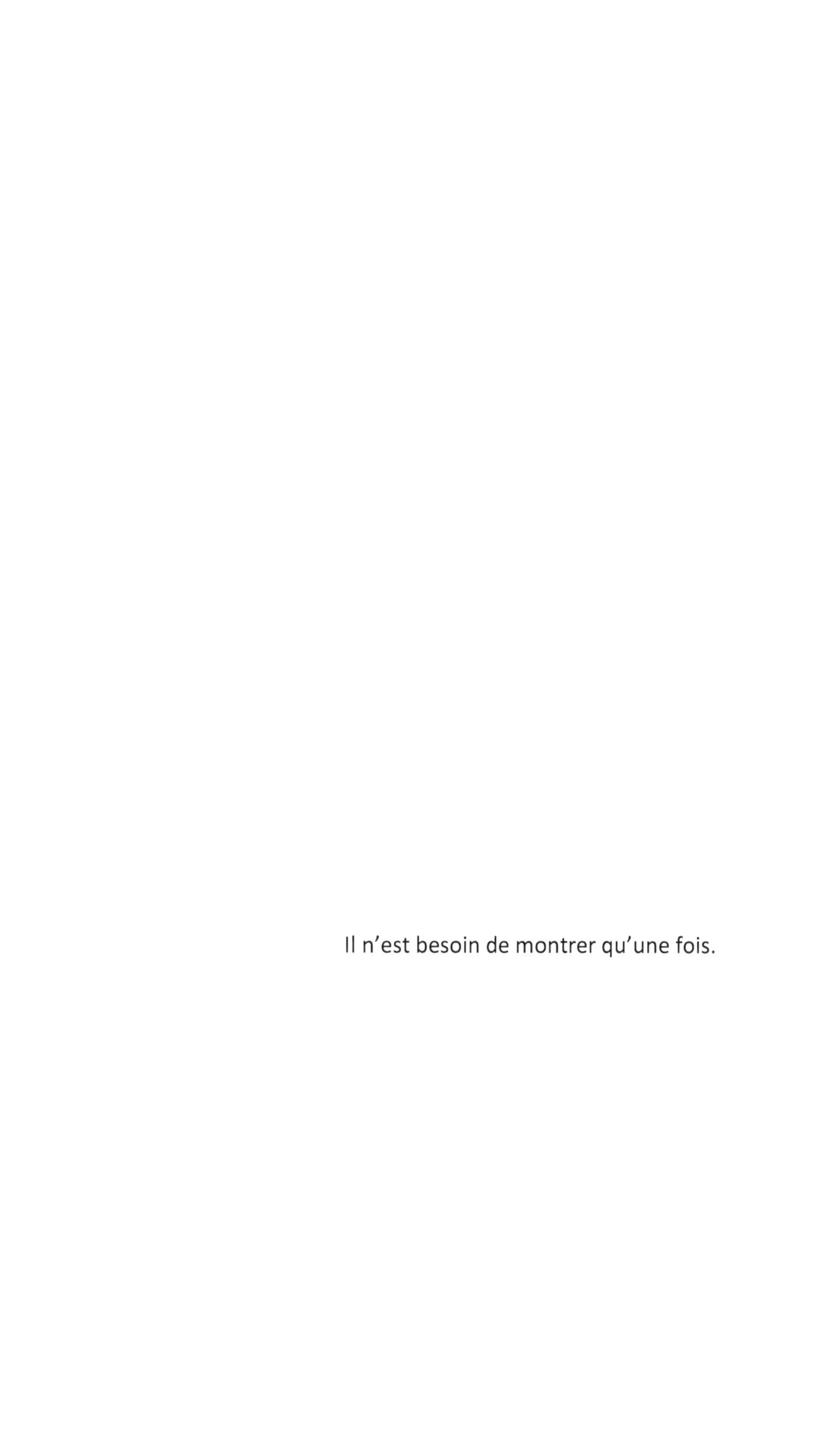

Il n’est besoin de montrer qu’une fois.

Printed in Great Britain
by Amazon